JN056625

声ぢから

—呼吸と声のエクササイズ46

佐藤慶子

論創社

目次

第3章　基礎声力をつける……073

第4章　声の出るからだをつくろう「からだの楽器化」

第5章　自分の新しい声、いろいろ見つけよう …… 107

はじめに

「声とは呼吸です」といえるほど、声と呼吸は密接につながっています。

考えてみれば当たり前のことではありますが、声のレッスンでは通常声を出すことに気を取られ、案外おろそかになりがちなのが呼吸です。

この本で述べている「声ぢから」メソッドでは、呼吸をベースに据えて、からだと心の緊張をほぐして息を吐く練習を、さまざまなアプローチでていねいに繰り返し行います。たとえば『頭で呼吸』というエクササイズ。ただ文言だけを見ると、ちょっと不思議に感じると思いますが、実際に行うと大きな効果があり、息を吐くときに、からだの各部位の緊張をほぐす習慣づけになります。

無駄な緊張が取れて脱力した状態こそ、声を自由に操り、からだじゅうに響かせることができます。

呼吸と脱力、それが「声ぢから」の極意です。その方法を、この本を通してみなさまに獲得いただけましたら、とてもうれしく思います。

「声ぢから」とは

エイッ！
トリャッ！
ヨシャッ！
オーッ！
ソレッ！
ゴーゴーッ！

私たちはここ一番、勝負というときに発する声を、どうして気合声やかけ声というのでしょうか。まるで声のちからを借りて自分の能力を発揮、時には炸裂させようとしているようですね。その声が自然に発せられるのはなぜなのでしょう。

オギャーッ！

人はみんな生まれ出てくるとき産声（うぶごえ）を発します。母の胎内からこの世に生まれ出て呼吸をするために、必死に肺をふくらませて息を吐き、そのとき自然に声を発します。それは肺呼吸の始まりの瞬間です。あかちゃんは無意識のうちに声の力を発揮しているようです。

あかちゃんはその後も

オギャーッ！　お腹がすいたよ
オギャーッ！　眠いよ
オギャーッ！　痛いよ
オギャーッ！　さびしいよ

と全身全霊の力を振り絞り、真っ赤になりながら泣くことを通して、さまざまな気持ちを私たちに訴えかけます。あたかも声に自分の全生命を託すようです。あかちゃんは、泣くことで、本能的に私たちおとなに、精一杯自分の気持ちを訴えかけてきます。全身全霊で生きる術を声に託して。そのパワーはすさまじいまでの気迫です。それは生きるためのエネルギーであり、生命力そのもの。私たち人間の持つもっともプリミティヴな生命力と言えるかもしれません。

私たちがあかちゃんのとき手にした、最大の自己表現の方法であり生命維持手段、それが声です。

原始人の時代から私たち人類だれもが持って生まれた声のちから。それは声の持つ原始的生命力、浄化力、魂の叫びを表現する力、つまり声の持つ根源的なパワーです。

それを私は「声ぢから」と呼んでいます。

先に述べた気合声、かけ声も同じなのではないでしょうか。あかちゃんのときの声の記憶がよみがえり、無意識に声に生命を託したように、私には思えます。

いま、忘れられがちな声のパワー

けれど残念ながらそのパワーは、文明が進むにつれて失われてきているようです。

大声を出さないで
静かにしましょう

近所に聞こえますよ
迷惑です

おまけにコロナ以降、声を出すことがはばかられ、マスク越しの会話もつつしんだために、声が小さくなってしまった人も多いのです。

さらに声を出さない習慣がついて、話すことが苦手な人も増えたようです。確かにほとんどすべてのことは、ＳＮＳやメールなどで事足りるのが現代ですね。

セルフレジで店員さんとも話さない。一人暮らし、家族がいても会話がほとんどない。電話も苦手。なるべくなら用件はＳＮＳですませたいという人が、特に若い世代に増えているといわれます。

こうなると意味は違いますが、まさに「黙して語らず」状態です。確かに声を出さなくても生活はできるかもしれません。

その一方で声は人々の生活を彩ります。職場や学校での友人とのおしゃべりから、カラオケで歌う、合唱する、コントやお笑いに笑い転げる、テレビドラマに涙を流す、演劇を観て感動するなどなど、私たちはさまざまなシーンで、日ごろから声を使うことで心象が大きく変わります。声は私たちの生活における優れた伝達手段であり、気分転換にもなり、心をあらわす最高のツールです。

けれども私たちにとって声は、ごく当然のものとしてあるため、多くの人は声の持つ大きな価値を忘れているかもしれません。

その価値とはなんでしょう。

それは先ほど申し上げた声の原始的生命力に他なりません。

声で人生は変えられる

この本でどうぞ声の持つ力を知ってください。そのパワーを知れば、あなたはきっと「声ぢから」をマスターしたくなるでしょう。実際これまでに、声の変化で人生がポジティヴに変わった多くの人を私は指導してきました。

「声ぢから」は、もちろんメンタルに問題を抱えている人だけに向けたメソッドではありません。本来、だれにでも効果の高い、声の磨き方です。

歌手、役者、朗読者、アナウンサーなど、声を職業としている人はもちろん、こんな方々にもおすすめします。

自信のないビジネスパーソン
あがり症の学生
上司にはっきりしゃべるようにいわれた女性
不安を抱える受験生
会話の少ない主婦
声がかれるなど声の悩みを持つシニア
歌手なのに人前で上手に歌えない
引きこもりの高校生
何十年もの間、心因性発声困難に悩まされている人
離婚が原因で大きなストレスを抱えてる人
障害のある息子の世話をしているシニア
職場のパワハラで社会が怖くなった女性
摂食障害の女性

リストラされた男性
術後に気分のすぐれない人　　など

そんななかで二例だけご紹介いたしましょう。

カルチャーセンターに参加された70代の素敵なセンスのご婦人。

「ここへ来るとき、行きは杖を突いてソロソロ、帰りは杖なしでスタスタ。おかげさまで新しいことが始められます」

その表現が絶妙で印象に残っていますが、声が心とからだに及ぼす影響の如実な例だと思います。声を出すことでからだの調子が整ったのですね。

もう一人はつい先日初めて行ったレッスンの受講後……あるときから引きこもりがちになってしまった役者さんのひとことこと。

「こんなに笑ったの久しぶり。というか初めてです」

「そうなのですか」

と笑顔で返すと彼女も笑顔を返してくださいました。

このように声は、背中を押してあげると確実に変わります。そのためにはまずは自分の声を愛すること。そうすると心とからだも、人生も、ポジティヴに変わります。

背中を押されたのは実践から

かくいう私も背中を押されたのです。たくさんの生徒さんたちにです。だれからでしょうか。

というのも当初私は、ここまで声にパワーがあるとは意識していませんでした。

私は幼い頃から作曲と歌うことに興味がありました。作曲は何とか行ってきましたが、声は幼い頃にトラウマを抱えたせいで、人前で歌うことはもとより話すことさえ大の苦手でした。その私が暗中模索して、あれやこれやと試み学習するなかで、どうにか人前で声を出せるようになったのです。そこから独自の声のための「声のメソッド」、のちの「声ぢからメソッド」を確立しました。自分と同じような悩みを抱えている方があれば、そんなみなさまにもお伝えしたい、といった程度の思いだったのです。

ところがどうでしょう。予想もしなかったことでしたが、生徒さんのなかに、メンタルの悩みを抱える方が意外と多かったのです。しかもその方々が「声ぢからメソッド」を行うことで、明るく変わるようになったのです。それは一人や二人ではありません。年齢や境遇の違うさまざまな方々でした。声のメンタルに及ぼす効果を目の当たりにして、私が思い至ったのが声の力であり、その経験と実践により実証された結果生まれたのが「声ぢから」という理念であり方法論です。

このように「声ぢから」とは、声の持つ原始的な生命エネルギーに着目し、長年にわたり私、佐藤慶子が研鑽開発した、声による「心とからだのための」オリジナルメソッドです。

「声ぢからメソッド」

この「声ぢから」は、発声練習で声を磨くヴォイストレーニングだけでは身につかない力です。本書では、30年以上にわたり培ってきた「声ぢからメソッド」を、エクササイズを中心にひもといていきます。

「声ぢからメソッド」の理念

声の原始的生命エネルギーを覚醒し鍛えることで、

声の出る喜びを獲得し、声で生きる力を培い、ポジティヴに生きる。

声は心の表現――声のトライアングル

心
呼吸
からだ

たとえ一生懸命に学習しても、この三つのうちどれか一つでも欠けてしまうと声は崩れてしまいます。例えば本番前、どんなに練習しても、本番に平常心を保てず呼吸が乱れてしまうと、声は震えたり、上ずったり、かすれたり、最悪なときは出なくなってしまいます。等しく磨くことで、はじめてあなた本来の声、あなた自身の本当の声を獲得できるようになります。それほど声はこの三つと密接につながっています。

声のトライアングル

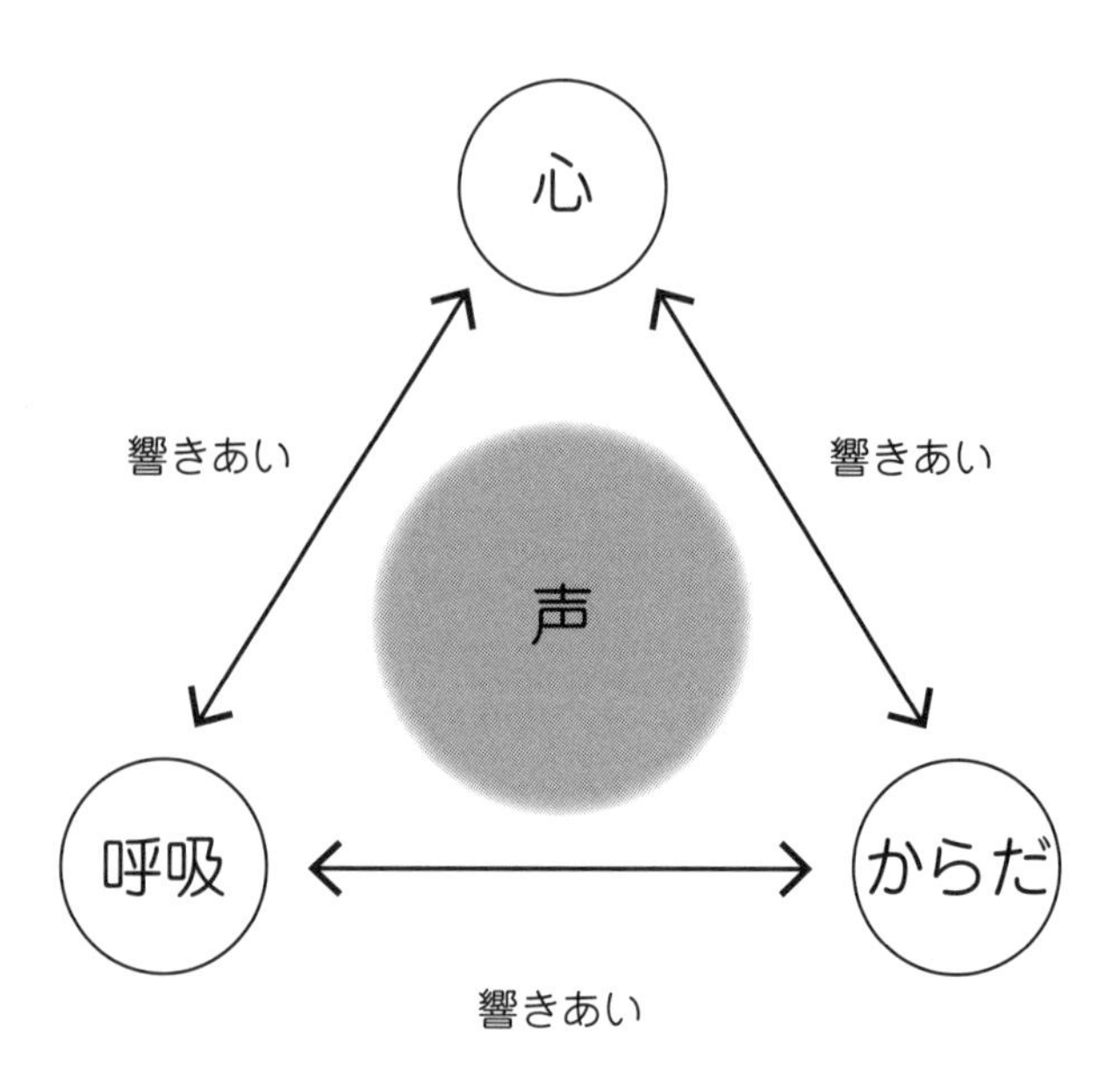

からだの楽器化

呼吸＋心（瞑想的）＋発声
響くからだ＝からだの楽器化＝響き合い＝呼吸、という循環。

声ぢからメソッドの目指す声とは

まずは基本です。

「よく響く素直な声」

これを目指し、そのうえで声の幅を拡げ、各自の個性やニーズに合わせて伸ばしていきます。

声の基礎声力

基礎体力という言葉がありますが、「声ぢから」では「基礎声力」をつくります。これがすべての声に対応可能な「声ぢから」の強みです。

この「基礎声力」をアップさせつつ基礎エクササイズを行い、さらにそれぞれのニーズに合ったエクササイズで声を磨きます。「急がば回れ」が結局のところ確かな道になるのです。

第1章　呼吸

呼吸上手は生き方上手

声は発声という呼吸、これを私は「発声呼吸」と呼んでいます。

[呼吸&リラックス] をマスターしよう

「エクササイズの準備」

場所：この本のすべてのエクササイズに共通です。

・フローリングの床、畳、じゅうたん、野原、砂浜など、横になれる場所ならどこでもOK。

・床が冷たい場合は、ヨガマット、バスタオル、ゴザ、毛布などを敷くとよいでしょう。

服装：この本のすべてのエクササイズに共通です。

・ゆったりとした服装。

・足は素足がベストですが、寒ければソックスなどをはいてもかまいません。

・腕時計や指輪、ネックレスなどははずしましょう。

[呼吸&リラックス] の準備

目 軽く閉じて

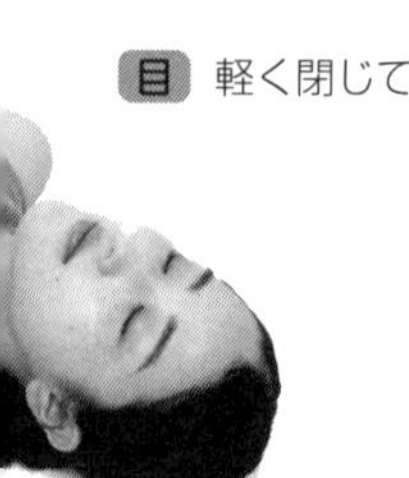

最初に［リラックスのポーズ］と［リラックスの呼吸］を覚えます。

「リラックスのポーズ」

全身の力を抜いて仰向けに寝ます。日常生活から離れて、呼吸や気持ちが落ち着くまで、心も頭もリラックスしましょう。

力が抜けないようだったら、ときどきからだをゆらして力を抜きましょう。

「リラックスの呼吸」

鼻で呼吸

・呼吸をしましょう。

・吸うときは鼻から、吐くときも鼻

から行います。

・吐くときは口から、という方法もありますが、声を出すときはもちろん口から吐きますから、この「呼吸&リラックス」のレッスンでは、鼻で吸い、鼻から吐く呼吸を練習しておきましょう。

・リラックスのときに、口から吐くことがあってもかまいません。臨機応変にどうぞ。

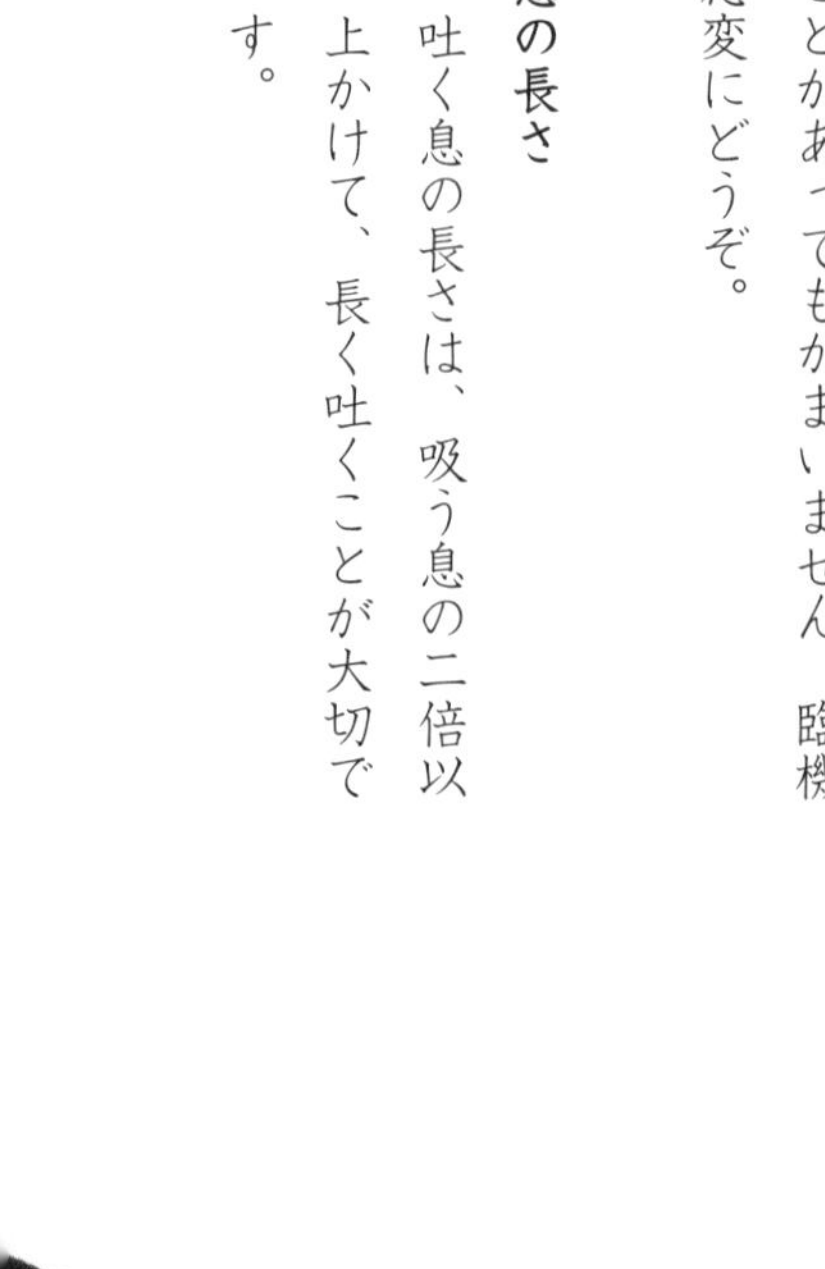

息の長さ

・吐く息の長さは、吸う息の二倍以上かけて、長く吐くことが大切です。

★吐くときに数える「やー」の後は、自分のペースで長く吐いてもgood!
★苦しければ、数の数え方を最初は少し早めにして、慣れてきたらだんだんゆっくりに。

・滑らかに、平らに、おだやかに、ひたすらゆったりと長く息を吐いていきます。

・最初は頭の中で数を数えながら行いましょう。数を数えるときは、神経質にならず、少しゆったりめで、「ひー、ふー、みー」と数えましょう。こう数えた方が呼吸に優しい感じがしますね。

[吸う] ひー、ふー、みー、よー
[吐く] ひー、ふー、みー、よー、いー、むー、なー、やー

・呼吸には吐く息が大切なため、息を吐くことから始める方法もありますが、やはり息を吸わなくては困りますから、気負わずにスゥーッと吸って始めましょう。

・できるようになったら、数にこだわらないで、おだやかにゆったり吐きましょう。

腹式呼吸と丹田呼吸

さまざまな呼吸法がありますが、「声ぢから」では腹式呼吸よりさらに深い呼吸という
ことで丹田呼吸法をオススメしています。

注：丹田については第2章でさらに詳しく述べます。

「丹田の位置を知る」大声で「ワァッハァッハアァッ」

・おへその下に手を当て、腹の底から大きく太い声で力強く笑います（男笑い）。
・そのとき動く場所が丹田のあるところ。

［深く吸う］

スゥーッと鼻から息を吸ったら、丹田を意識して一度息を止め（約3秒）、きちんと
吸ったかどうか確認しましょう。

［吐く］

力をよく抜きながら、ゆっくり、長

く、おだやかに息を吐ききり、今度は丹田に力を入れて、一度息を止め（約3秒）、吐ききったかどうかしっかり確認しましょう。

「丹田で確認」

丹田に力を入れて呼吸を確認します。

この丹田で確認を2回行うことが、呼吸の基本型となりますので、次の「［呼吸&リラックス」を始めよう」で、からだの各部位で呼吸をするたびに、忘れずに行ってください。丹田が使えると、声を出すときに、とても役立ちます。

★「スゥーッと吸う」とは？　浅く吸うのではありません。鼻の奥深くまで息をしっかりと入れて、スゥーッと吸うのです。
★でも力んだり頑張らないでください。

「呼吸&リラックス」を始めよう

「呼吸&リラックス」は、瞑想的な呼吸法です。

横になり、力を抜きながらゆったりと息を吐き、からだのそれぞれの部位に意識を集中させて息を吸います。この弛緩と集中を繰り返し行います。息を吸う場所、息をする音、息をする自分に意識を集中し、息が入ったことを確認して、息を吐いた場所から脱力しながら、ゆったりと穏やかに長く息を吐いていく方法です。

意識がいつの間にか日常から精神の

領域に入って、穏やかな気持ち、安定した精神状態になります。

終了後には晴れやか、爽快な気分になっています。そしてストレスや雑念から解放されている自分に気がつきます。

気持よかった

さわやか

自然と眠くなった

生徒さんたちに特に喜ばれる人気のエクササイズです。

安定した精神と集中力アップ

★この呼吸法は集中力とリラックスを促す深い呼吸であり、瞑想呼吸に通じます。そのため精神が安定しストレスも解消するなど、メンタルに非常に高い効果があります。

[response]

以前音大受験の高校生がレッスンに通っていました。「先生、不安で、夜いつも眠れず睡眠不足なのです」ところが彼女はこの呼吸法を行うと、そのあといつも20分程度で爆睡し、その後さっぱりした顔でレッスンに集中していましたよ。

いまから行う部位呼吸は、実際はすべて鼻でも呼吸しますが、同時に各部位から呼吸することを心がけることが大切です。そのため各部位に意識をしっかり集中させてください。まずその部分で呼吸する気持ちで行います。頭から始まり、からだへ移り、からだの部分を意識しながら、順番に呼吸していきます。

[エクサイズ❶]頭のてっぺんから呼吸

頭のてっぺんを百会（ひゃくえ）といいます。

1　自分の百会に意識を集中しましょう。最初のうちは、手で頭を触って確認してもよいでしょう。ただし、強く押さえつけないようにしてください。

2　百会から吸うような気持ちで百会

に意識を集中させ、鼻から息をスゥーッと吸い、[丹田を意識して確認]。

3　次に、百会から力を抜きながら、頭皮をジワジワッとゆるめながら、ゆっくり吐いていきます。脳が、お風呂に浸かっているように、ゆるゆるするイメージで。

4　だんだん上手に吐けるようになると、頭の芯のほうからジーンと、気持ちよくゆるむ感覚が伝わってきます。吐ききったら、[丹田で確認]。

からだのどの場所で行う呼吸も、回数には特に決まりはありませんが、5回くらい繰り返して行うと効果的です。

百会

POINT

★必ず、呼吸するその部分を意識し、感じながら行います。
★そうすると次第に、からだのいろいろな部分から、鼻呼吸と同時に、自由に息ができるようになる、そんな感覚がつかめるようになりますよ。
★よくわからなくても落ち込まないで。声はおおらか、アバウト、という気持ちで行うことが大切。いずれできるようになります。

［エクササイズ❷］おでこで呼吸

同じ要領で、次は額全体を感じながら行いましょう。

1［吸う］

おでこに意識を集中し、おでこから吸うような気持ちで鼻から息をスゥーッと吸い、［丹田を意識して確認］。

2［吐く］

おでこ全体をよく感じ、よく力を抜きながら、おだやかに、平らに、そこから長ーく吐いていきます。

広がっていく感覚をもちながら。吐ききったら、［丹田で確認］。

困ったこと、いやなことなどのストレスが溜まると眉間にしわが寄りますね。そんなストレスも息を吐くときにスーッと消し去りましょう。気持ちが明るくなります。

骨はよく響く

「頭に声を響かせて」「おでこに声を当てて」

こどものころ、あるいは合唱サークルなどで、こんな言葉を耳にしたことはありませんか？　どういう意味でしょう。

これは、「頭やおでこに声を響かせる」ということだと思います。

テレビでむかしこんな番組を観たことがあります。

アフリカのどこかの民族でしょうか。亡くなった人の頭蓋骨をいくつも並べて、楽器のように叩いて弔いの演奏をしていました。ええ、頭蓋骨はよく響くのです。おでこも同じ。骨は、声がよく響くのです。

［エクササイズ❸］こめかみで呼吸

声は表情とも密接につながっています。

こめかみから目へと、顔の表情筋を、よくほぐしましょう。

右、左を、別々に行います。

1 ［吸う］

右のこめかみに意識を集中し、そこから吸うような気持ちで、鼻から息をスゥーッと吸い、［丹田を意識して確認］。

2 ［吐く］

右のこめかみからよく力を抜きながら、表情が優しくなるように、おだやかに、ほほ笑みながら、長ーく吐いていきます。自分

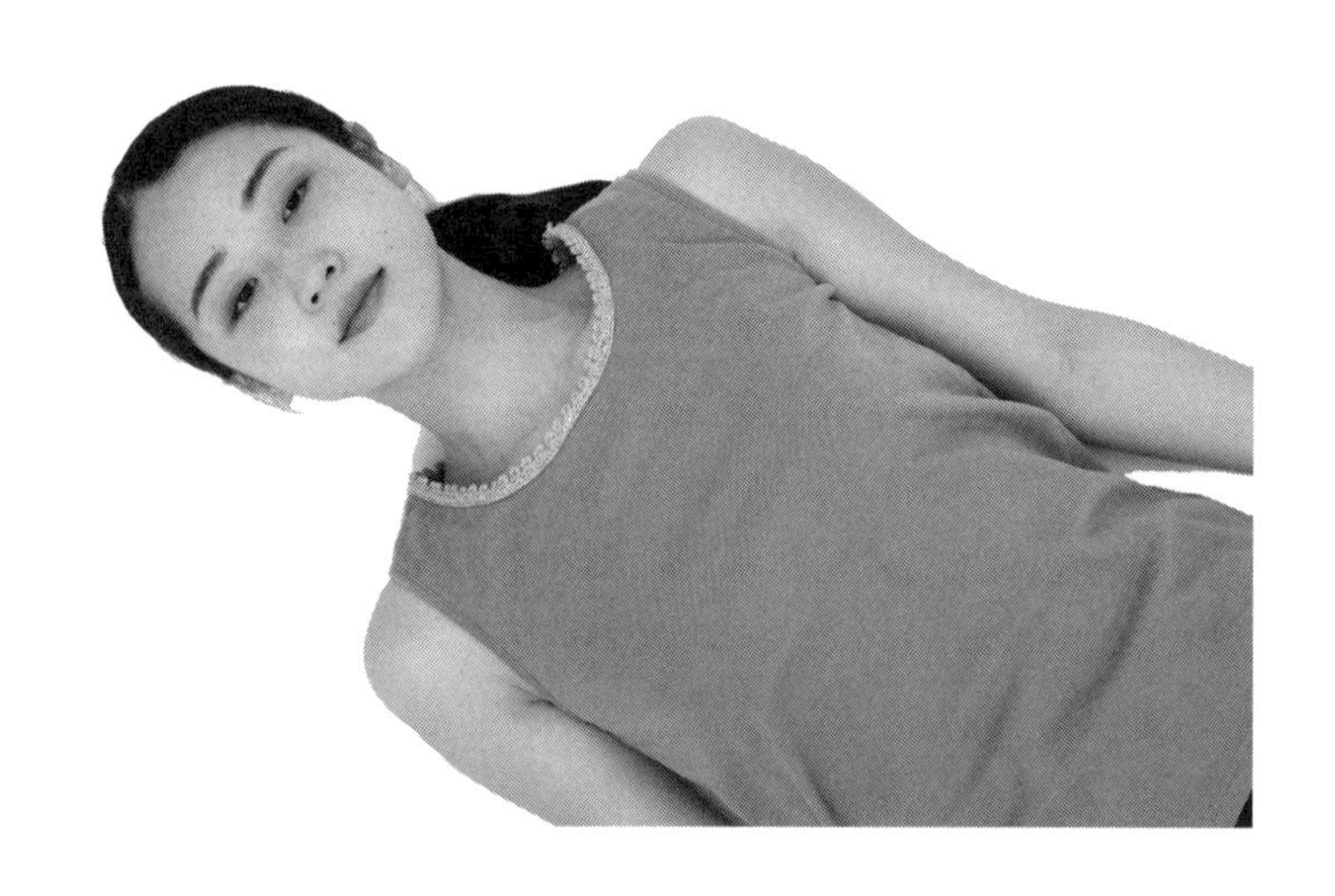

の優しい顔を思い描きながら行うといいですね。吐ききったら、[丹田で確認]。

3　左のこめかみも同様に行いましょう。

[エクササイズ❹]瞳で呼吸

1　[吸う]

軽く目を閉じて、右の黒目に意識を集中し、そこから吸うような気持ちで鼻から息をスゥーッと吸い、[丹田を意識して確認]。

2　[吐く]

閉じたまま、目と目のまわりまでよく力を抜きながら、おだやかに、平らに、長ーく吐いていきます。

★目はとても疲れています。優しく吐きましょう。優しい気持ちも大切です。

自分のほほ笑む顔を思い描きながらやるといいですね。吐ききったら、［丹田で確認］。

3　左目も同様に行いましょう。

［エクササイズ❺］耳で呼吸

耳は大切な自分の声の先生です。よく聴こえるように、耳で呼吸をすることで疲れを取り除きましょう。左右交互に行います。

このエクササイズは目やこめかみと違い、右耳から左耳、左耳から右耳へと流すように行います。慣れないうちはちょっと難しく思うかもしれませんが、おおらかアバウトの精神で行ってください。

耳に伝わる音の聴こえ方が、きっと柔らかくな

ります。耳が疲れているときは、音はギシギシ、トゲトゲ突き刺さるように聴こえて、つらいですね。

1 [吸う]
右の耳の外から中へ、スゥーッと吸い、[丹田を意識して確認]。

2 [吐く]
そこから今度は左耳の外へ向かって、耳の通路の産毛を、フワフワワッとさせるようなイメージで、ゆっくり、おだやかに、長ーく吐いていきます。

吐ききったら、[丹田で確認]。

3 左右交互に行います。

POINT

★考えすぎると、できなくなってしまいます。
★自分のからだの感覚を信じて、ひたすら呼吸をする場所を感じながら行いましょう。
★必ずできるようになります。気持ちいい! と感じられるようになりますから、大丈夫。

［エクササイズ❻］鼻で呼吸

鼻はもちろん呼吸器官ですから、特にていねいに行いましょう。

右側の鼻、左側の鼻と別々に行いますが、あまり神経質にならないで、少しくらい息がもれても気にしません。

初めのうちは、吸わない方の鼻の穴を、人差し指で軽く押さえて行ってもよいでしょう。

脳の活性化

この呼吸は脳の活性化に役立つといわれています。仕事に疲れたときや、受験勉強の気分転換などにも、ぜひおすすめします。

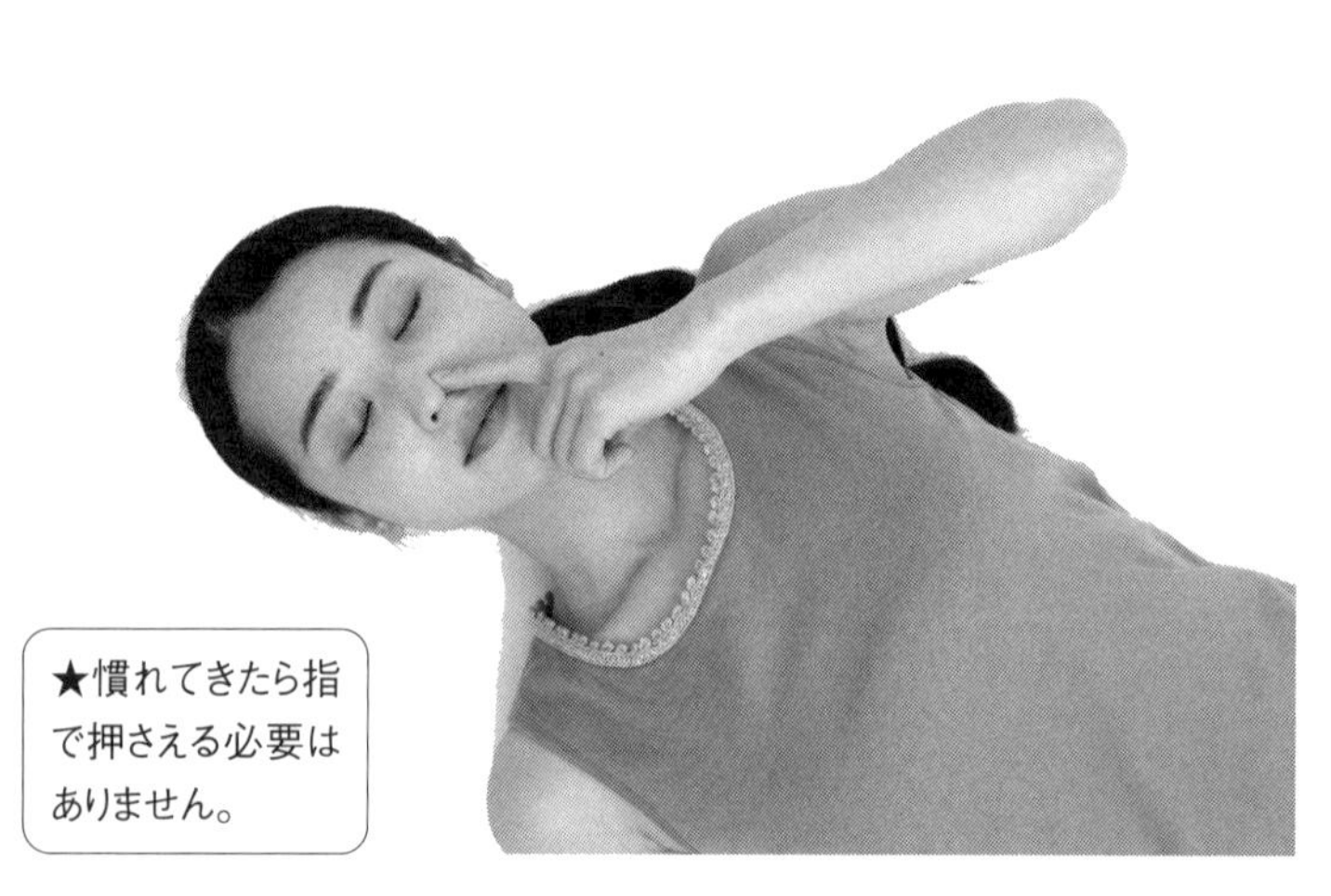

★慣れてきたら指で押さえる必要はありません。

少しくらい鼻が詰まっていても大丈夫。実は私も鼻炎体質ですが、この呼吸をすると鼻が奥からスッキリします。よほどの鼻カゼでもひいていないかぎり、大丈夫、できますよ。

1 ［吸う］
右の鼻で、息がグゥーッと脳に染み入るように深く吸います［丹田を意識して確認］。

2 ［吐く］
今度はできるだけゆっくり、少しずつ、気長に吐いて、よーく吐ききります。吐ききったら［丹田で確認］。

3 左側の鼻でも同じように行いましょう。

4 最後に、両方の鼻で同時に深い呼吸を行いましょう。

「観察、感じる、考える」のススメ

例えば、右の鼻の呼吸を8回繰り返したあと、左右のからだに何か変化があるか観察します。すると明らかに左右の相違を感じ取ることができます。（もちろん個人差があるので、すぐにはわからない人もいますが安心してください）

①自分のからだの左右を観察

からだについて、頭のてっぺんから縦に左右に割ったような違いを認識します。

②感じる

からだの右側が広がった気がする、フワッと軽くなった、など

③考える

右鼻呼吸で、からだの右側全体が活性化された、など

この鼻呼吸にハミングを加えるエクササイズを行うと、さらに効果は大きくなります。

詳しくは第3章のハミングエクササイズ⓭⓮をご覧ください。

ハミングとは口を閉じて鼻に「ムー」と声を響かせて声を出すことです。

片鼻呼吸〜左右の鼻の役割

鼻呼吸は自律神経に働きかけます。

右の鼻呼吸

交感神経に作用し、左脳の直観や芸術的感性に働きかけ、また浄化、疲労回復や深い睡眠に効果があるといわれます。

左の鼻呼吸

副交感神経に作用し、右脳の論理的思考や分析力に働きかけ、記憶の整理や定着に効果があるといわれます。

【全身呼吸＝自分のからだを知る】

頭のてっぺん（百会）から始めて、額、こめかみ（間違い。活かす）目、耳、鼻と、顔の各部位での呼吸を行ってきました。同じように、胸、おなか、背中、背骨、足、足裏まで、それぞれの部位をよく感じ、感覚を確かめながら、呼吸を全身へまわします。

［エクササイズ❼］からだ半分で呼吸

ほかにも、からだのいろいろな部分で行う呼吸があります。そのなかから、からだの気の流れがよく感じられる呼吸をご紹介しましょう。

自分のからだを、縦に左右半分に分けて行うので、呼吸をしている側と、していない側の状態の違いがよくわかり、自分のからだに対する理解も増して、面白いですよ。

1　［リラックスのポーズ］と［リラックスの呼吸］で行います。

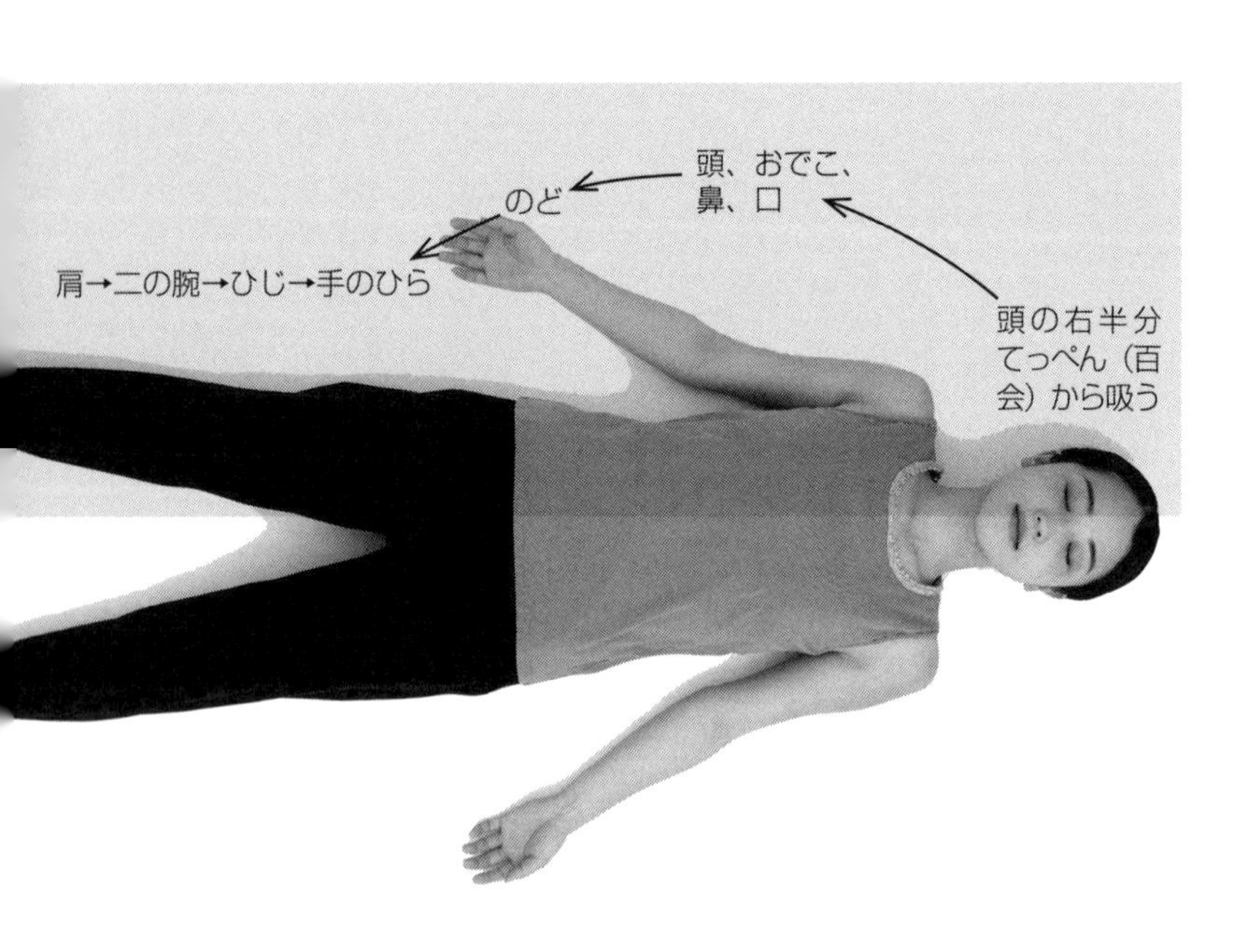

2　自分のからだを頭のてっぺんからつま先まで、縦半分に、左右まっぷたつに割ってみてください。もちろん本当に割るのではありません。自分の感覚で、右半分、左半分に分けましょう。それではまず右側から行いましょう。

3　右の頭のてっぺんから息をスゥーッと吸ったら、そこからからだ右半分の、上から下へ向かって順番に、各部位、の場所を意識しながら息を吐いていきます。

4　頭↓おでこ↓鼻↓口↓のど↓肩と息を吐いてきたら、ここで、まず腕の方に向かいます。二の腕↓ひじ↓手のひらへ。そのあと、胸に戻り、足の裏に向かってからだの各部位で、息を吐いていきます。

［からだ半分で呼吸］のエクササイズは、次のページまで続きます。

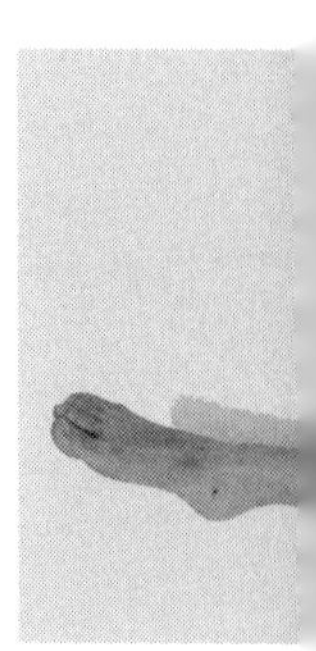

「気」という言葉を説明するのはとても難しいですが、この本では生命エネルギーの意味で使っています。

5　今度は胸から、おなか↓足の付け根↓腿↓膝↓足↓足首↓足の裏へと、順番に、それぞれの部位から息を吐くような気持ちで吐いていきます。

6　これを3回繰り返しましょう。

結構知らない自分のからだ

部位呼吸をしたことで、あなたはきっと気がつくでしょう。

自分のからだなのに、あらためて感じようとすると、知っているようで、わからないことだらけだということを。

だから、最初は頭のてっぺんとか、目とか、いろいろいわれても、難しい

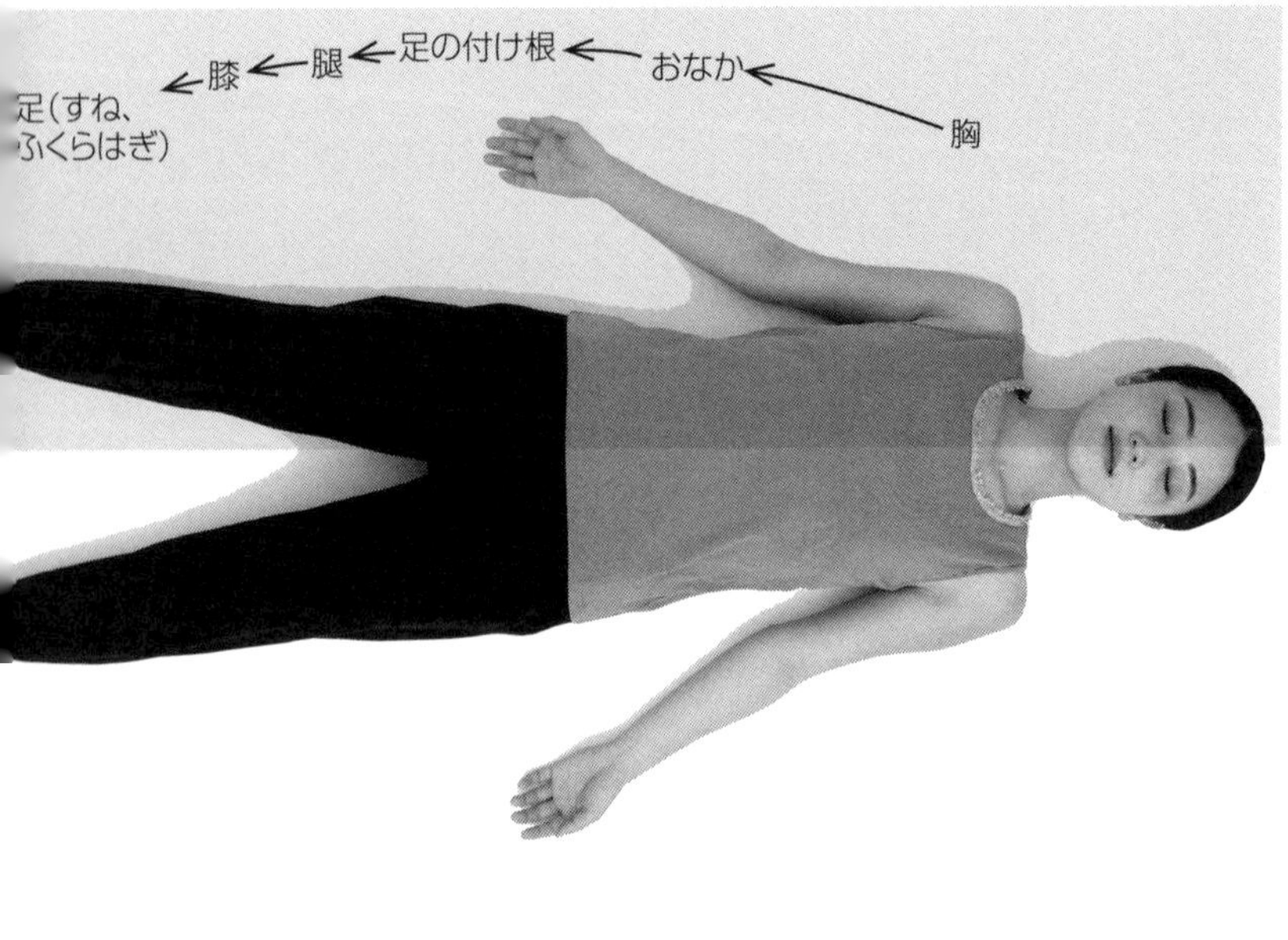

と思う人もいるかもしれませんね。

でも、自分のからだのことなのに、知らなすぎると思いませんか？

これをチャンスとして、少しでも自分のからだのことがわかるようになり、コントロールできたら素敵ですね。

★からだの右半分、左半分の違いを感じましょう。きっと、面白いようにからだが半分に分けられたみたいに感じられます。
★すぐに感じられなくても大丈夫。繰り返していくうちに、わかるようになるでしょう。おおらかアバウトの精神でどうぞ
★左右行った後で、右、左の効果が違うと感じる人もいるかもしれませんが、これも特別なことではありません。そのときのからだの状態でも変わります。
この呼吸は、頭のてっぺんから足の裏までひと息で行います。ゆっくり息の配分を考えながら吐いていきましょう。15〜20秒くらいかけるとよいですね。けれど無理をしなくて大丈夫です。

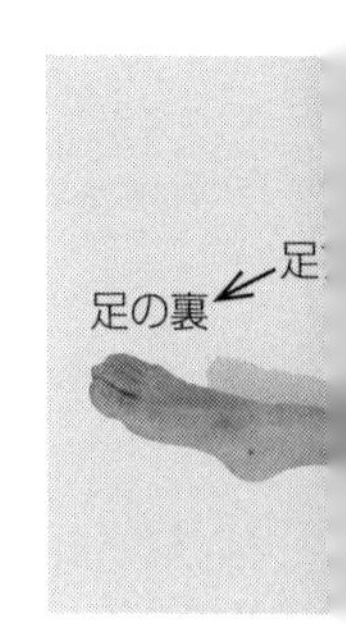

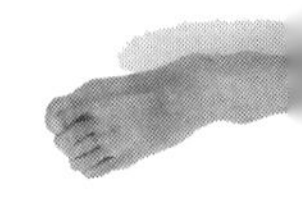

POINT
最後に足の裏が、ポッと暖かくなるとGood!

「起き上がり方も重要」

それでは、いよいよ起き上がります。ゆっくりと起き上がるのですが、その方法も大切です。

せっかくリラックスして、呼吸もゆったりとしたのに、突然、グイッと起き上がると、あっという間に元の状態へ戻ってしまいます。

余韻を楽しむように、ゆっくり少しずつ重力になじんでいくように起き上がり、ゆったりとした呼吸と、おだやかな状態を、できるだけ長く持

続させたいもの。寝て行うエクササイズの終わりは、いつもゆっくり起き上がりましょう。
リラックスのポーズでゆったりしてください。
胴体についている部分、手、足、頭から、ユラユラ気持ちよく動かします。
ゆっくりと右へ、左へ、ごろんとしたり、
からだをいたわりながらうつぶせになったり、
だんだんとからだを床から離し、ゆっくり時間をかけて、楽しみながら起き上がっていきましょう。
首は、グイっとではなく、最後にゆっくりと、持ち上げるように起こします。

★春の暖かくおだやかな内海を想像しましょう。その海の中を漂う海藻のイメージで行うとよいでしょう。
起き上がる速度には、人によって個人差があります。どのくらい時間をかけるかは自由ですが、おおよその目安は数分です。なかには30分以上もかかって起きる人もいます。自分のからだと、素直に向き合って起きることが大切です。
★起きた後もさらに余韻を楽しんで、首や肩、腰をゆっくり気持ちよく揺らしたり、まわしたりしてください。

★こうして気持ちとからだが十分に整ってから、起き上がること自体を楽しみながら、ゆっくり、無理なく起き上がっていきましょう。そうすると、起きてからとてもさわやかですよ。

重力に逆らって起きるということが、こんなにもひと仕事だとは！と、びっくりしましたか？　あらためて、四足歩行だった私たちの祖先が、立ち上がり、二本の足で歩くようになったということが、人類にとってどんなに画期的なことだったのか、考えさせられます。

なかにはまったく起き上がれなくなる人もいらっしゃいます。

「悲しくないのにどうしたのでしょう。涙が流れて止まりません」

そんな人もいらっしゃいました。けれど安心してください。

疲れがたまっている
ストレスがたまっている
メンタルに悩みを抱えている

こういう人が時々起きられなくなります。でもそれまで普通に起きたり寝たり歩いたりしていたのですから、落ち着いてゆったりいきましょう。それほどストレスがたまっているのです。日ごろ我慢していた自分をやさしく思いやり、いたわることが大切です。

立っても、坐っても行える呼吸法

【エクササイズ❽】肋骨を開く呼吸「ファー」

1 両足を少し開いて安定した姿勢で立つ。

2 右手を前に伸ばしながらゆっくり息を吸い、ちょっと止まり［丹田確認］を意識する。

3 力を抜いて「ファー」と柔らかい声でいいながら、ゆっくり息を吐きつつ、右から後ろを向きながら、右の肋骨を開くように大きく右手を後ろへ広げ、深く息を吐く。表情も優しく微笑

むようにどうぞ。

4 吐ききったら2、3秒止まり、吐ききったことを［丹田確認］。

5 手と顔を正面に戻しながら息を吸います。これを4回繰り返します。

6 左側も同様に行います。肋骨を広げることで、より深い呼吸を実感しましょう。声が響く部分も広がります。背筋もしっかりしますよ。

【エクササイズ❾】バレリーナ呼吸法①呼吸

背筋、首筋も伸び、丹田の支えがしっかりし、姿勢がグッとよくなります。デスクワークが多い人、猫背っぽい人、人前に出る機会の多い人に、特にオススメです。

バレリーナになったつもりで美しい動作を心がけて行います。

1　息を吸いながら、右手を前に伸ばしゆっくり上げていきます。同時に右足に重心をかけ、一歩前に出ます。左足は後ろで親指から足にかけて伸ばします。

❸
❷
❻
❺

2　右手の指先には力を入れず、バレエ『白鳥の湖』の白鳥のイメージで、ふんわりと上まで上げます。

そのとき、自然と徐々に首から頭、そして視線も斜め上へと上げていき、最後に視線は指先を見つめます。気持ちよい表情と優しいまなざしで。

首はすっと伸び、体をしなやかにそらせます。無理なく自然に。

このとき、心をすがすがしく、自分自身を「美しい」と思うことが大切です。

3　しっかり息を吸ったら、2、3秒止まってから、ゆっくり手を下ろしながら息を吐いていきます。そのときに、視線と顔はやや上向きの前を向いた状態まで少し戻し、その位置をキープして、遠くを見るように見つめます。

4　息を吐ききったら、丹田でしっかり支えて息を3秒止め、吐ききったと確認したら、次の呼吸を始めます。

約8歩で往復4回程度行います。

5　同様に左側も行います。

このバレリーナ呼吸法で発声する方法はエクササイズ⑯で述べます。

「深い呼吸はメンタルに効く」

深くゆったりとした呼吸は安定した精神を生み、落ち着いた思考を促します。さらに集中力もアップします。瞑想法と同じような効果があるので、そのためビジネスシーン、受験生、スポーツ選手の精神トレーニング、コンサートや演劇などの本番前に大いに効果を発揮します。ぜひ取り入れてください。

「自然を吸う」

太陽を吸う
月を吸う
森を吸う
海を吸う
山を吸う
花を吸う
いのちのめぐみを吸う
そうして

★からだのいろいろな部位を使うこの呼吸法は、後に出てくる「声の響くからだづくり」（からだの楽器化）に通じています。

ひたすらー
ゆっくり　ゆっくりと　吐く

森

森の中で木々の発する芳香＝フィトンチッドを深く吸ってゆっくり息を吐く呼吸。浄化作用があるといわれるフィトンチッドをたっぷりからだから脳にまで吸い込んだら、そのまま瞑想に入ってもいいかもしれません。

朝

陽の光を浴びながら太陽の香りを吸い、自然の腕（かいな）に抱かれながら深く息を吸いゆったりと息を吐く、自然とともに生き、自然の活力を浴びるしあわせなひとときｏ

昼

穏やかな浜辺で、波の満ち曳きに合わせて息を吸い、息を吐く、昼下がりのひととき。

豆知識

お寿司屋さんのケースの中でネタの下に敷かれているサワラ（鰆ではありません）やヒノキの葉、お寿司の間に置くササやシソの葉。これらはみんな、見た目がきれいというだけではなく、葉っぱの持つフィトンチッド効果のためだそうです。

海のリズムと一体になったら、静かに「アーーー」と声を発し、波と呼応するコラボレーションもいいですね。

山のにおい、土のにおい、深い大地のにおいは、生命を育むにおいです。

森や林の最高の場所で深い呼吸ができたら、樹木に感謝しましょう。

公園で、穏やかな風を頬に受けながらリラックスして呼吸する昼休み。束の間でも大切にしたい時間です。

月夜

ハニームーンではないですが、月光浴は蜜の香り、それもほのかに甘く控えめ。そんなイメージを楽しみながらの呼吸もいいですね。こんなときには、和歌や俳句を声に出して読むのもよいでしょう。月読命（ツキヨミノミコト）をご存じでしょうか。日本に昔からいらっしゃる神様の一人で、月を、また夜を司るといわれています。その歌が聞こえるかもしれません。

次は私のおススメの万葉集にある和歌です。

天の海に　雲の波たち　月の舟

星の林に　漕ぎ隠る　見ゆ

（柿本人麻呂）

タイムトラベラーのように、時を超えた時間の流れが、昼の騒々しさや煩わしい出来事から私たちを解き放ち、世界が広くなるようです。

このように、自分の好きな和歌や俳句を暗唱して、声に出して朗々と詠むこともおススメします。

鳥のさえずりや虫の音を聞きながらの深い呼吸や、彼らとのコラボレーションも楽しいひとときです。もっとも鳥や虫たちは驚いて黙ってしまうかもしれませんが。

第2章　丹田を鍛えるエクササイズ

丹田については呼吸の章でも少し触れましたが、大切なポイントなので、もう少し詳しく述べたいと思います。

丹田は、パワーが出てくる、とても頼もしい場所。丹田を鍛えると、「肝がすわる」状態になるともいわれます。ぜひしっかり覚えて、しっかり鍛えましょう。丹田はからだの中心にあり、心身のかなめになる部分です。

ところで体幹という言葉も大切ですが、スポーツやジムなどでより広義な意味で用いられることもあります。そのため、ここでは体幹は「丹田の支え」ととらえます。

さて丹田を鍛えるためには、日本の武道は最適です。そこから考えた丹田を鍛える方法がいくつかあります。なお、丹田を鍛えると、腹筋も鍛えられます。

【エクササイズ⑩】剣道エイッ！

剣道をする気分で丹田を意識して、「エイッ！」。そんな楽しいエクササイズです。

1 竹刀(しない)を手にかまえたポーズで、3歩前へ進みます。足さばきにはこだわりません。

2　丹田に力をキュッとこめるとともに、鼻から息を吸い、竹刀を振りかざして一瞬静止。

3　一気に口から息を吐きながら、「エイッ！」と声を発し、力強く竹刀を振り下ろします。同時に右足を一歩前に踏み出し、重心をかけます。

★「リラックスの 呼吸」では、鼻から吸って鼻から吐きましたが、ここから先の丹田強化のエクササイズでは、声を出すため、鼻から吸って口から吐く呼吸になります。

POINT

★竹刀をもつ格好は、気にしなくてかまいません。
★それよりも、丹田を使って気合いを入れることや、丹田から声を発することが大切です。

［エクササイズ⑪］すもうのしこ踏み

おすもうさんの気分でかけ声をかけながら、しこを踏みましょう。

これも、しこを踏むことが本来の目的ではありません。しこを踏むのは丹田を鍛え、丹田から声を出すためということを忘れないで。

1　おすもうさんのように腰を落とし、丹田に気（力）をこめて。背筋は伸ばします。

2　左足、右足とゆっくり交互に足を上げ、力強く下ろして、しこを踏みながら、丹田から吐き出すように、一気に野太いかけ声をかけます。

ハイッ！　ハイッ！
ハイッ！　ハイッ！

★息はもらさず、すべて声にしましょう。
★弱々しい声ではダメです。

★回数は自由ですが、4〜8回繰り返し行うといいでしょう。

［エクササイズ⑫］すもうの「ハァッ」

おすもうさんの気分で「てっぽう」を突く真似をしながら「ハァッ」と声を出しましょう。

きちんと丹田を意識して、力強い声を出しましょう。

※「てっぽう」とは、おすもうさんが腕力を鍛えるために行う、基本的な突っ張りの稽古のひとつ。

1　おすもうさんのように腰を落とし、丹田に気（力）をこめて。
2　腰を落としたまま、宙を突くようなポーズで、手を胸の前にかまえます。
3　手を前に左右交互に突き出し右手右足を同時に出して前進しながら声を発します。

ハアッ！　ハアッ！

ハアッ！　ハアッ！

最後はひと呼吸おいて呼吸を整えてから、足は動かさず両手を前に勢いよく突き出しながら力強く、

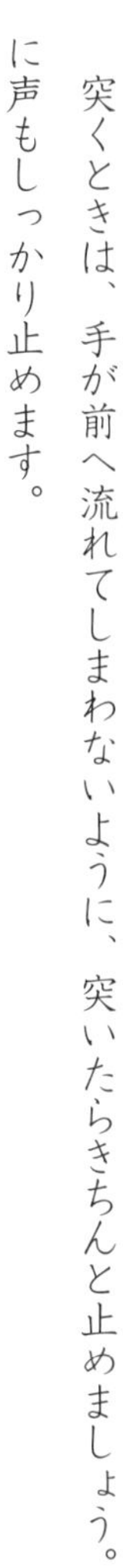

ハアアーーーッ

突くときは、手が前へ流れてしまわないように、突いたらきちんと止めましょう。同時に声もしっかり止めます。

★いずれも、丹田を意識して、エネルギーをこめて声を出すようにしましょう。

第3章　基礎声力をつける

いまから行うのは、前にお話しした声の基礎体力「基礎声力」をつけるエクササイズ。

日常の会話からプレゼンの練習も、歌も、朗読も、演技もすべて、まずはこのエクササイズを行って声の力を底上げしなければ大きな効果が得られません。

正しい呼吸と丹田の鍛錬。そして自分の声を知って、本当の自分の声を磨くこと。

それではいまからみなさんとご一緒に「声ぢから」を獲得していきましょう。

声のパワーはいいこと尽くし
あなたも手に入れられる声のパワー
自分を表す、人を知る、人とつながる
ポジティヴなエネルギーがあなたを活き活きさせる
声のもつ浄化の力で、うつうつした気分や、ストレス解消
声の力で元気になる！
声を出すと起こる音の波動で心とからだをマッサージ
声で若々しく
声美人は三文、いえ、それ以上に得

そして、声でポジティヴに生きる
それが声のパワー、声ぢからです。

声と健康ケア

最近声に注目が集まってきていると感じます。シニア世代の増えるなか、精神面では老後の趣味として、健康面では誤嚥防止や唾液の分泌の促進などに効果があるといわれます。また話す、歌う、朗読などは脳によい刺激を与えるという説もあるようです。

声と美容

発語エクササイズによる口角ストレッチは唇を引き締め、表情筋エクササイズは顔を明るくし表情を活き活きとさせるので自信がつき、気持ちも前向きになります。特に目で表情をあらわすエクササイズは効果が大きいです。

声と自信（メンタル）

声のコンプレックスを持つ人、他人と話すのが苦手な人など、声で他人とコミュニケーションをとりにくい人にも、たいへん役に立つのが「声ぢから」です。

自分の声を知ろう

案外知っているようで知らないのは自分の声。たとえば歌を歌いたいというときに、多くの方はこうおっしゃるのです。

「私は中央のドレミのドから一つ上のドまでしか声は出ません」

「高い音も低い音も出ません」

多くの方は、ずいぶん前の学校の音楽授業を基準に自分の音域を決めてしまっています。ところが発声レッスンを行うと、そのほとんどの人が、もっと幅広い音域の声が出ることがわかります。自分で声の音域を決めてそれ以上声を出さないと、残念ながら音域はそれ以上にはけっして伸びません。最初は少し変な声になっても、気にせずチャレンジして広い音域の声を出し続けていると、たいていの場合、音域は広がります。ぜひトライしてみてください。

自分の声、好き？　嫌い？

結構多いのが自分の声が嫌いという意見です。そこで20人ほどのグループレッスンのとき、しばらくお互いに声を出した後、こう質問します。

「どうです。みなさん、どなたの声もいい声でしょう?」

「あなたの声もいい声です。なぜならみんなが自分の声以外はみんないい声といっているのです。それはつまりあなたの声もいいということの証です」

自分の声を愛する

声を磨くときに最初に大切なことは、まず自分の声を好きになり、そして愛することです。声はあなたに愛されないと、自信を失い委縮してしまいます。それでは声の力は発揮できません。自分の声としっかり向き合い、「大丈夫」と励まし、安心させてあげましょう。

あなたの理想の声は?

あんな声になりたい、あの人のような声で歌いたい、好感度のある声を獲得したい、自在に声が使えたら……

なりたい声、あこがれる声、理想の声をあなたはイメージできますか。特定な人でも、漠然としていても構わないでしょう。目標とする声、イメージする声があると、モチベーションが上がり達成しやすくなります。イメージをふくらませて、頭の中で理想の声を響かせるといいですね

声年齢は

残念なことに、声もほうっておくと加齢し衰えてしまいます。私は枯れた声も好きです。深く胸に沁み入るような枯れた声には、その人の人生が詰まっていて深い感動を呼びます。私の理想とする声の境地の一つです。人生のにじみ出る味わいのある高齢の方の声は、私たちに生きる勇気を与えてくれるようです。

しかしいまここでいう加齢した声とは、使わないでいたために、思いがけずに実年齢より老けてしまった声のことを指しています。

声を磨くための三つの「基本の声」

男女問わず、最初に目標とするのは、基本の声です。この基本の声をマスターしたうえで、自分の好みの声に挑戦していきます。

では、その基本の声とは、どのような声でしょう。それは次の三つです。

1　よくとおる声
2　クリアな（明るくはっきりした）声
3　響く声

この、万人の心に届きやすい声、これが、あなたがまず目指す基本の声です。

声を出していく寝たままできる声のエクササイズ

［呼吸＆リラックス］を行ったあとのあなたはとってもリラックスして、呼吸もゆったりしています。

仰向けでリラックスした状態というのは、声を出すのにとてもよい状態なので、寝たまま声を出すエクササイズを行うと、声がとてもスムーズに出せます。ここからは［呼吸＆リラックス］に加え、少しずつ声を出していきましょう。

最初は力まずに、自然な小さな声から始め、だんだんエネルギーがアップしてきたら、元気に出していきます。

[エクササイズ⑬] 寝たままハミング

寝た状態でハミングをするエクササイズです。音の高さは自分が出しやすい高さで。

ハミングをするたびに音程を変化させてもOKです。

ただし、一度出した音程は、その発声が終わるまでは、なるべくキープしてまっすぐに。メロディのように音程があちこち変化するのは避けましょう。

最初はあまり長く続かないかもしれません。

でも、繰り返して行っているうちに、

だんだん長く出せるようになるでしょう。
自分の声を聴きながら、ゆったりとした気持ちで行いましょう。

1 ［リラックスのポーズ］と［リラックスの呼吸］から始めます。

2 息を吐くときに、ハミングします。

ハミングの効果に注目

ハミングの声は体内によく響きます。そのため自分の声の波動（振動）が体内をマッサージしているような感覚になり気持ちいいです。

また顔の中だけ例に取ってみて

POINT

★ハミングをしているとき、鼻、眉間、脳、頭、あご、胸……。自分のからだのどの部分が振動しているか、よく感じましょう。感じることはとても大切です。「観察、感じる、考える」の精神です。

★長さは特に決まっていません。だいたい15～20秒程度を目安にしてください。
★繰り返しハミングしていると、最初は蚊の鳴くような細い声しか出ないのが、だんだん鼻が鳴っているような、牛ガエルみたいな太い声に変わってきますよ。そうすると、心地よい振動が脳にも伝わり、いい気持ちです。

も、額から眉間、鼻のなか全体、右ほっぺた、左ほっぺた、口の中と、いろいろな部位で響かせると、響いた部位が活性化されます。つまり自分の声の波動が体内の活性化を促進するのです。

［エクササイズ⑭］ムー・アー・ムー

寝たままでハミングするという点は「寝たままハミング」エクササイズ⓭と同様ですが、吐くときに、ハミングの口を閉じた状態から、徐々に口を開き、アー音へ移行させていきます。

それと同時に少しずつ声を大きく出していき、最後はまた徐々に口を閉じ、小さな声でハミングに戻り、消えていきます。

1　［リラックスのポーズ］と［リラックスの呼

ムー　アー　ムー

→　→　→

弱く　<強く>　弱く　→　消える

POINT

★最後に「ムー」音に戻る、つまり声が鼻に抜けてフウーッっと消えていく方法を身につけると、歌を歌うときにフレーズの終わりが自然に消えるようになり、とてもきれいです。

吸」から始めます（29ページ）。

2　口を閉じた状態でハミングをします。
ムー

3　徐々に大きく口を開き、たっぷりとしたアー音を出します。
アー

4　だんだん息が少なくなってきたと思ったら、息を吐ききる前に、徐々に口をすぼめてハミングへ戻り、「ム」で自然に消えてい

★以上をひと呼吸で行います。
★自分のひと呼吸を考えて配分しましょう。
★ともかく、あせらず、のんびりやりましょう。

きます。

ムー

自分の新しい声を見つける

［エクササイズ⑮］ケチャップのケッ！

寝たままできる、ちょっとユニークなエクササイズです。

自分が、チューブ入りのケチャップになったつもりで行いましょう。声を出すのに、肛門だって使っちゃいます。本番に進む前に、まず準備体操をしましょう。

〈準備〉

1　頭の上で手を組んでひっくり返し、背伸びのポーズ。

2　グーッと背伸びをしながら鼻から息を吸い、［丹田を意識して確認］をします。

3　両手を下ろしながら、一気に口から息を吐きます。

4　これを２回繰り返します。

〈本番〉

ここで出す「ケッ！」という声は、爬虫類か何かの生き物になったような気分の声です。あなたの声の可能性を広げるチャンスです。生命力あふれる自分の新しい声を楽しんでください。

1　グーッと背伸びをしながら息を吸い、「丹田の支えを意識して確認」をしたらそのままキープ。

2　その状態のまま、肛門をキュッと閉め、頭のてっぺん（「百会」を思い出して）から、絞り出すような高い声を
ケッ　ケッ　ケッ　ケッ
と、少し間隔を開けながら、4回、思いっきり声を出します。両腕も下へ戻します。

3　最後は、勢いよく両手を下ろしたら、リラックス。

4　これを2回繰り返します。

5　最後は「リラックスのポーズ」に戻りましょう。

POINT

★ケッといいながら肛門をキュッとするたびに、腰が床から上がる感じで。
★ケチャップをチューブからしぼり出すように。

［エクササイズ⑯］
バレリーナ呼吸法②声と呼吸

バレリーナ呼吸法①に声をプラス。

息を吐くときに「あーーーー」とまっすぐ声の行方を見据えながら声を発します。初心者ほど思いがけずしっかりとした声が出る場合が多いです。

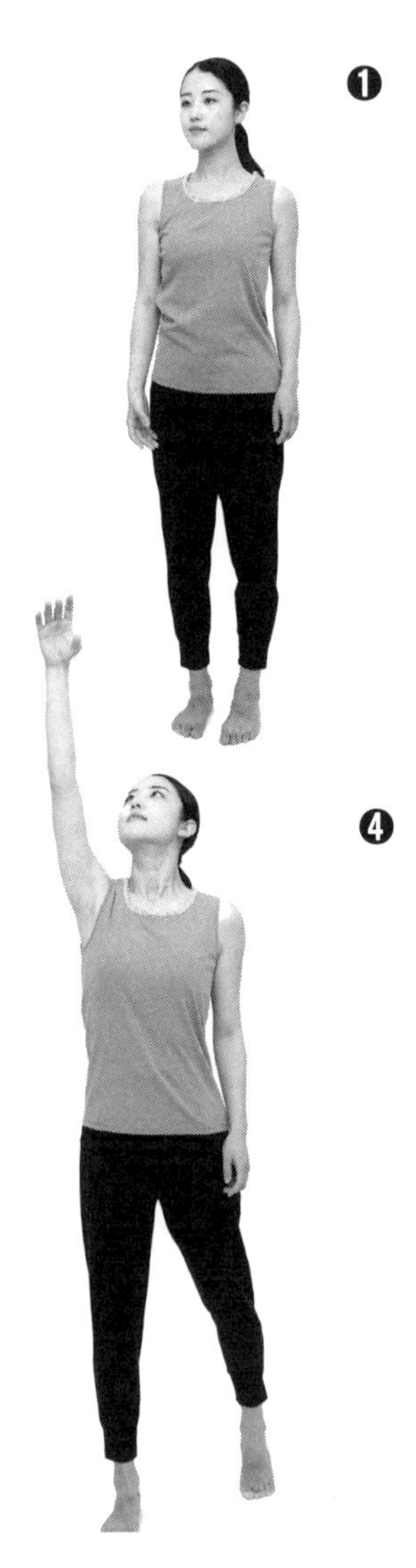

イスでも行えます

❸
❷
❻
❺

右、左と左右交互に行います。
「あ、い、う、え、お」。あ、以外の子音も混ぜて発声しましょう。

第4章

声の出るからだをつくろう
「からだの楽器化」

からだは楽器！

呼吸の章でからだのいろいろな部位で呼吸をしましたね。これからその場所から声を発していきます。

からだのいろいろな部分を全部使って声を響かせ、声を出していきましょう。

ハミングのときにも感じたように、声の波動はあたかもマッサージをしているようにあなたのからだに心地よく振動します。

自分の声の響きで心とからだが活性化されていく感覚です。

いままで意識しなかった新しい感覚との出合いは楽しいですよ。

声の響くからだになることを、**からだの楽器化**、私はこう呼んでいます。

まずは声を開放して、元気になろう

［エクササイズ⑰］声の開放「つぶやき声から原始人声まで」

このエクササイズはいつ行ってもよいですが、「呼

吸&リラックス」に続けて行うと効果的です。なのでここではゆっくり起き上がった状態をイメージして紹介します。

ゆっくり起き上がって正座または胡坐（あぐら）をかいてからのちも、「呼吸&リラックス」の余韻を楽しむように、あなたのからだは、ゆらゆらしていますよね。そのまま気持ちよくゆらゆら揺れながら、声を少しずつ出していきましょう。

1　最初は呪文でも唱えるつもりで、つぶやくように低い音でボソボソと。
ムー、ウーなど

2　だんだんとのびやかにおおらかに。
アー、イエイエ～など

3　次第にかなりエキサイティングに、自由奔放に、
思いっきり、自分のからだの声をよく聴いて。
自分の心と声を開放して。
ヒャー、ラララーなど

4　声も大きくなり、やがて声も心も、十分発散したら、徐々に鎮めて。

★最初は恥ずかしくておずおずしてしまうかもしれません。けれど勇気をもって一度自由に声を出すと、あとは自然にどんどん出てきます。
★自分の心の声を聴いて声を開放することで、心も解放され広がります。
★心やからだにたまっているモヤモヤも発散させましょう。自由で豊かな気持ちになります。
★目は開いていても構いませんが、軽くつぶって行うとより自由になります。

フー、ウー……

5　だんだんと静かにおさめ、徐々に消えるように終わります。

のどを鍛えて声域を広げよう

ふだん使っている声だけではなく、いろいろな音色・音域の声を出すことで、のどの筋肉を鍛えると誤嚥防止にも役立つといわれています。

声域も広がり、音色も多様になり、声もしっかり出るようになりますよ。

メンタルに

自分にもこんな声が出るなんて、ワアッ、面白い。

声の開放は自分自身の解放、楽しい開放です。

思考もポジティヴになり、自信につながります。さらに笑顔も増えますよ。

★ここに書いた声は、あくまでも参考です。自分の好きなように声を出しましょう。
★そのときの気分で、声の出し方は変わります。
★そんな声のあり方を自由に楽しんで。音色、高低、声色の幅がぐっと広がります。

［エクササイズ⑱］六甲のヒィヤーおろし

このエクササイズは六甲山から神戸港へと、山から海への地形の流れをイメージしてつくりました。山の頂上から、海面へ声が降りていくイメージで、たっぷりと。だんだん息が長くなり、響きのある声が出てくるようになると、本当に気持ちよくなりますよ。声の高さが下がっていくときに、からだの中を声が通り過ぎていく感覚を感じられるといいですね。

正座または胡坐をかいて、背筋を伸ばし姿勢よく行いましょう。

1　声の出だしは悲鳴のようなせいいっぱい高いヒィヤーという声を、［呼吸&リラックス］で使った頭のてっぺん（百会）に、勢いよく思いっきり当てるようなイメージで出します。

ヒィヤー（のどは開いたままで）

2　勢いよい声のまま、放物線を描くように、ゆっくり声音の高さを下げていきます。

……アー

3　だんだん低くなってきたら、地声も太くしっかり出します。口はしっかり開いたままで。

……アー

4　最後は唸り声になるまで下げて、口も自然に閉じて行い低い声で終わります。

……アオオーーー　消える

「効果」

★幅広い音域の声を出して、声域を広げる。

★長さは個人差がありますから特に定めませんが、だんだんと長くしていくように心がけてください。

★息の使い方が上手になるので、ひと息が長くなります。

〔エクササイズ⑲〕愉快になって元気になる「梅干しおばあさま」

寝て行います。

1　仰向きに寝てからだを胎児のように丸めます。

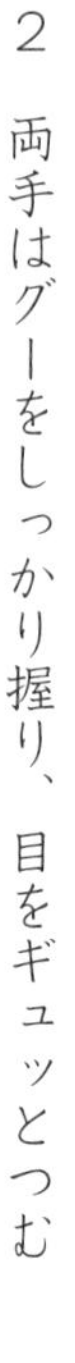

2　両手はグーをしっかり握り、目をギュッとつむり、口は昔のスッパイ梅干を食べているイメージでギュッとすぼめ、目もきつく閉じ、スッパイ顔をします。

からだ全体、スッパイときのイメージで縮こまり、息をギュッと吸いながら、声は口を閉じたままで「ウッ！」

3　次に一気に息を吐きながら目を大きく見開き、手足を大きく広げながら「パアッ」と丹田からはじけるように声を出します。

声と心の開放に効果大。だれでも不思議なくらい元気になり、ワクワクします。

[response]
生徒さんが、「これ、家で夫と二人でやっています」と話してくださいました。仲のいいご夫婦の様子がほほえましいですね。

安定した声をつくろう

インド声楽を習ったときの経験がヒントになっているエクササイズで、安定した声を出すことに加えて、声を出すための丹田の支えを、しっかりさせることができます。

ここでは、大河がゆったり流れるように、ひたすらまっすぐに声を出していく、そのことだけに集中しましょう。

自分の全身が、全部声になったつもりで。修行僧の気分で。そのために、ひたすら声を聴き、声を「見る」のです。

声を「見る」（視る）

口に人差し指を当て、自分の声が出て行く方向へ、声を出しながら、ゆっくり、まっすぐ指先を伸ばして、声の行方を目で追いましょう。

「バレリーナ呼吸法」でも、視線が声の行く先を追うようにといいましたが、声がどこへ向かっていくのか、確かめながら出す習慣をつけるのです。

「え？ 声は見えないでしょう？」という声が聞こえてきそうですね。

ところが、だんだん〈見えてくる〉ようになるのです。

声の行方を見届ける

声を見る習慣をつけることで、あなたが話をするとき（歌うときも）、だれに向かって話しているのかということが明確になり、自分が聴いてほしいと願っている相手に、届きやすくすることができます。相手がひとりでも、大人数でも同じです。

必ず自分の声の行方を見守り、最後まで責任を取る気持ちで声を出しましょう。

「終わりよければすべてよし」ではないけれど、細部まで気を配る習慣を身につけることで、繊細な感性もきっと磨かれますよ。

〔エクササイズ⑳〕声の河

1 自分が自然に出しやすい声の高さで、まっすぐに声を太く出していきましょう。最初は口元に指を当てます。

2 声を出すのに合わせながら指を口からだんだん遠くへ離して、腕をまっすぐに伸ばしていきます。

アー

3 息が終わりそうになったら、指も自然に下げていき、声も指の動きといっしょにだんだんと消していきます。音の高さは変えずに、一定で。

4 これを繰り返します。

イスでも
行えます

五感で感じとる

声を聴覚だけではなく、視覚、触覚といった五感で感じましょう。声は心の表れですから感じる感覚を拡げることで表現が豊かになります。

★最初は小さい声でもかまいません。だんだんしっかりした地声で、ガンジス川のような大河が流れるイメージを描き、声が、大河になっていく気分でどうぞ。
★最初は4、5回繰り返し、だんだん回数を増やしましょう。
気持ちも、大河の流れのように、ゆったりしますよ。

「効果」

★まっすぐに声を出すことで、安定した声を出せるようになる。
★自分の声の行く先を把握することで、届けたい相手に自分の声を届ける。

★音が高くなったり低くなったり揺れたりしないように、[呼吸&リラックス] で覚えた丹田で声を支えて、よく聴きながら行いましょう。

瞑想に通じる「発声呼吸法」

発声とは究極の呼吸法でもあると私は思っています。声を一音、まっすぐに発していると、自分の息の長さがよくわかります。前にも書きましたが、発声と呼吸を一つにして、私は「発声呼吸法」と呼んでいます。

重要なのは、この発声法は瞑想につながることです。自分の声にひたすら耳を傾け、雑念を消し、ただ一心に声をまっすぐ発声するのです。

集中力を促し、安定した精神の状態を得られます。声とからだ、心、自分自身が一つになる感覚です。

のちに出てくるパフォーマンスにもつながっています。

声のトライアングル

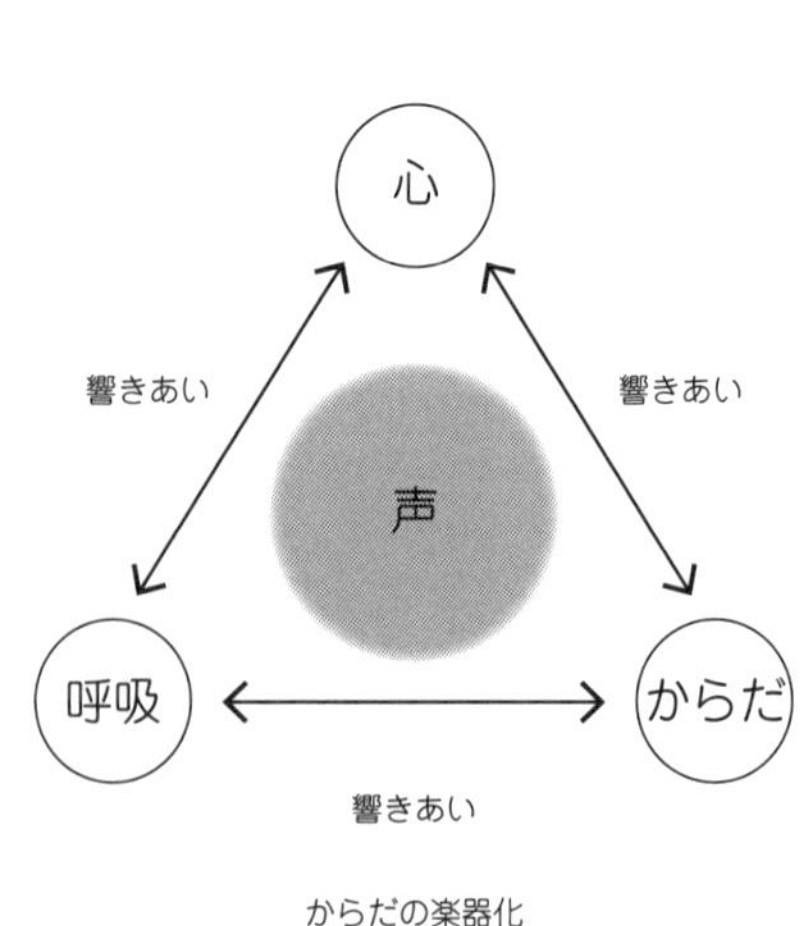

からだの楽器化

ここまでのまとめ

ここまで声を出すための三つの基本「声をつくる三つの要素」を磨いてきました。
あらためて「声のトライアングル」とともに確認しましょう。

①呼吸

呼吸法から発声呼吸法まで
丹田による深く長い呼吸
健康ケアが期待できる
集中力アップ

②心（メンタル）

安定した心・精神
精神が落ち着く
集中力アップ
自信がつく（恥ずかしい・あがる→楽しい・伝えたい）
ポジティヴな気持ち・思考になる

表情が豊かになる
うつうつとした気分や、ストレス解消
響き合う～コミュニケーション脳力アップ～
声が通るので注目度がアップする

③からだ

声の響くからだづくり＝からだの楽器化
声を発することで起こる波動によりからだが活性化され、健康ケアも期待される
誤嚥防止、咀嚼を高める。また唾液の分泌をよくするなど、特にシニアの健康ケアに役立つ
心身、脳の活性化が期待される

ここまで声ぢからの基礎体力ならぬ「基礎声力」をていねいに磨いてきました。
次章でさらに「声ぢから」をレベルアップしていきましょう。

第5章　自分の新しい声、いろいろ見つけよう

多彩な声を出して、生命力、エネルギーを生む

［エクササイズ㉑］気合声いろいろ

エクササイズ❿で行った「剣道のエイッ」をさらに幅広く行います。

気合声とは、その名の通り気合を入れたいときに自然と発する声のこと。

自分の好きな、気合いの出る言葉、掛け声を丹田に力を込めて、おなかの底から、発しましょう。ただしのどに力を入れないでどうぞ。

エイッ！

とりゃっ！

オオッ！

チェースト！

★からだのいろいろな部分に声を響かせて声を出しましょう。
★声が響く感覚が感じられるようになると楽しいですよ。

アチョワー！
セイヤッ！
それっ！
タアッ！
どすこい！
ヨッシャ！
ソイヤッ！　などなど

エネルギーを出すことを忘れずに！

その日の気分で、言葉を変えるといいですね。

屋上で、ひと吠えしてもスカッとしますよ。

家族や職場の仲間、友だちと、みんなで声を出しても気持ちいいでしょう。

気合い声を出して、声のエネルギーを思う存分発揮しましょう。

そのむかし武士が素振りを繰り返し鍛錬していたように、毎日気合声を出す習慣をつけるとよいでしょう。

気持ちを込めてどうぞ。


「効果」

★エネルギーが生まれる
★力が出る
★活力が生まれる
★ストレス解消
★ポジティヴ思考に
★あがり症克服
★度胸がすわり堂々とする
★精神に安定感が生まれる

［エクササイズ㉒］自分を勇気づける

これは、気分がめげているときに、ぜひ行ってほしいエクササイズです。落ち込むのではなく、自分を励ます前向きの言葉を、自分にかけてあげましょう。

あなたの味方は、あなた自身。力が出るまで、何回もどうぞ。

あなたが自分に声をかけるだけで、あなたが元気になるとしたら、気分が晴れるとしたら、どんなに素敵でしょう。そのためにも心の中で思っているだけではだめです。声に出してはっきりいいましょう。

「私は強い」

「私はたくましい」

「私はきれい」

などなど、その日の気分で、おなかの底から声を出していろいろいいましょう。

イスでも行えます

「効果」

★自分を励ますことで、自信がついて元気になる
★精神的に余裕ができ、より冷静で的確な判断力がつく

★声を出すときに、握りこぶしをつくって片手を上げる、ガッツポーズなど、アクションもつけてみると、気分がいっそう高まり高揚感が生まれますよ。

生命力あふれる声

次は動物の声から原始的生命エネルギーを学ぶエクササイズです。

[エクササイズ㉓] ホエザルのホッ

ホエザルをご存知ですか？　名前のとおり、ユニークな声で吠える猿で、彼らがいっせいに鳴くと、その声は5キロメートル先まで届くそうです。

これは、テレビで見たホエザルのなき声からインスピレーションを得た、ユーモラスなエクササイズです。ひとりでやるだけではなく、パートナーや家族、仲間とペアを組んで行っても楽しいですよ。

ポイントは、無心になること。無心に声を出すと、自分もまた、ひとつの生き物だという実感がわいて、めんどうな煩悩にとらわれず、生きるということに邁進（まいしん）する気分を味わうことができます。

普通の音域の高さの声ではありません。非常に高く明るい声を、頭のてっぺん（百会）に響かせて、ジャンプに合わせて出します。

POINT

★声を出すときは、ホエザルになったつもりで生命力を出しましょう。

ジャンプしながら弾みをつけて行いましょう。

●一人で行う場合

ホッ！　ホッ！　ホッ！　ホッ！　ホッ！

ホッ！　ホッ！　ホッ！

●二人で行う場合は向かい合って立ち、交互に行う

A　ホッ！　ホッ！　ホッ！　ホッ！

B　　ホッ！　ホッ！　ホッ！　ホッ！

「効果」

★無心になって声を出すことで、生きるエネルギーを発揮しましょう。声がはずみ、心身ともにパワーアップしますよ。

呼びかけよう

〔エクササイズ㉔〕オペラ歌手やミュージカル歌手になった気分で語りかける

あなたの語りかけたい人を思い描きながら、鏡の前で練習しましょう。

ひと息をたっぷり使って、語りかけるように、歌いやすいメロディをつけて高らかに歌います。

「効果」

★「ワアーッ」という気持ちで胸を開くように両手もひろげながら語りかけるように声を出すことで、気持ちもポジティヴに。何しろ気持ちいいですから。

★「自分でもこんなに声が出せる！」驚きと感動が生れるエクササイズです。

♪あーなーたー
ミュージカルやオペラの主人公になった気分で、胸を張って高らかにどうぞ。

［エクササイズ㉕］「アエィヤサー」民謡の合いの手

むかしの日本人の威勢のよいかけ声、合いの手、はやし言葉をまねてみましょう。
最初は恥ずかしいかも知れませんが、出してみる

と思いのほか楽しいですよ。

「ア、コリャコリャ」

「ア、ソレッ」

「アエィヤサー　イヤサー

ホィヤサー　エイサー

アエィヤサー　イヤサー

ホィヤサー　エイサー」

など思い切り高音で民謡風に景気よくいいましょう。手振り、足踏みを自由につけても楽しいです。

普段使わない声色や音高で声を出すエクササイズは声の音色の幅を広げ、あなたの声を表現豊かにします。

メソッドの効果

ここまで、基礎声力をしっかり身に着けたうえにさらなる磨きをかけるためのメソッドの数々を述べてきました。声を磨いて自分のなりたい声になる基礎力の応用です。この力を身につけた方々を数人あげてみましょう。

定年退職した60代男性の声域が伸びる

年末にベートーヴェンの「第九」の合唱を楽団と毎年、大ホールで趣味として歌っている男性ですが、テノールが歌えませんでした。でも、彼はその年末、「第九」を見事にテノールで歌いました。「声ぢからメソッド」に従い、ご自分で半年間毎日練習をなさった結果です。

小さい声が悩みだった30代オフィスレディ

デザイナーの女性は黙々と仕事をするタイプで、声が小さく上司に再三注意を受け、コンプレックスになっていました。けれど「声ぢから」レッスンを始めてから一年後、すっかり声が出るようになり、明るい笑顔も増えました。その記念に彼女がデザインした「いろは47文字」の描かれた手作りのバックをいただきました。「声ぢからメソッド」で練習した「いろは」の文字が描かれていて、とてもうれしいプレゼントでした。

歌手志望の大学生

大学を休学して音楽専門学校で熱心に歌を習っていた女性。指導教師と合わず、かなり悩んだ末に「声ぢから」レッスンに通いはじめました。自信のなさそうな目をしていた彼女は、一年後にはケラケラ笑うほがらかな学生に成長しました。弾き語りで見事にポップスを歌います。「ヨーロッパの民族音楽も勉強したい」と巣立っていきました。歌唱力もあるので将来が楽しみです。

このように、どなたも声ぢからを磨く努力をするうちに、自分の声を愛することができるようになっていきました。

さてここからは、「声ぢからメソッド」における声と心の関係について、もう少し深く触れたいと思います。

第6章　声はメンタルに効く

冒頭でも触れましたが、「声ぢから」になぜ人は共感し、レッスンを続けるうちに、声に磨きがかかるだけではなく、ポジティヴ思考に変わるのでしょうか。私自身レッスン開始当初は、声のレッスンでからだの調子がよくなるとか、メンタルに効くことを目指していたのではありません。もちろん声を出すことは健康にいい、老化防止になるなどの一般的にいわれる効果は認識していました。でも、実際多くの方を指導していくと、想像以上の声の力を感じるようになったのです。その例を三つだけあげましょう。

不登校だった高校生

ある摂食障害のグループの開催する講座で、声ぢからワークショップを行ったときのことです。受講された女性から、「娘が不登校なのでレッスンをお願いしたいのですが」と連絡がありました。「なぜ私に？」カウンセラーではありませんし、心理学や医学もさっぱりです。何より不登校のお子さんと向き合ったこともありません。けれども、そのお母さまは私の講座から何かを確信されたようで、「あのようなレッスンをしてください」とおっしゃったので、その熱心な態度にうたれて、「お役に立つかどうかわかりませんが、それでもよろしければどうぞいらっしゃってください」と「声ぢから」レッスンを開始しました。最初のうちは声をまったく出さなかった高校生。しかし5年近い月日を経て、笑顔の可愛らしい歌の大好きな女性に成長されました。最後のレッスンの日、彼女が語ってくれました。「私は声で救われました」ふさがれた心が声を出すことで開かれ、徐々に自信を得て、考えも行動もポジティヴになり、エネルギーあふれる姿に成長されました。

長年、心因性発声困難を患っていた女性

小学生のころから時々声が出なくなり、大人になってからついに声が出せなくなってしまった女性です。声が出るためのあらゆる努力を続けて、しまいにはのどに特別な注射まで打つようになりました。打った当初は効くものの、2、3カ月たつとまた声が出なくなり、再び注射を打つ。それを数年続けた彼女は注射に疑問を持ち、その療法をやめました。

そんなとき私の「声ぢから」に目がとまったそうです。「母の代わりに電話しています」と、申し込みの電話は彼女のお嬢さん。レッスンが始まり、最初は息だけの声から半年、一本の電話がかかってきました。「あの、先生」ついにご本人から電話をいただきました。少し不自由ながら、はっきり聞こえる受話器越しの彼女の声。「声ぢから」レッスンとともにある自助グループに参加して、通って半年ほどで念願の声を獲得したのです。それか

らもレッスンを行い、遜色なく話されるようになり、同時に笑顔の美しい方になりました。構えなくていい、無理なく自然体でいいという脱力をする発声エクササイズを行うなかで、声を楽しむ方向へスイッチが変わり、声が出るようになったのだと思います。

ほかにもたくさんの例がありますが、このように生徒さんと触れ合うなかで、「声ぢからメソッドを学ぶと、なぜ声ひとつでこのような変化が起こるのか」という疑問が生じたのです。医者でも心理学者でもカウンセラーでもないのですから。そうして考えをめぐらせているうちに、次のことに思い至ったのです。

私自身のトラウマ

私はかなり幼いころから音楽が大好きでした。小学生だった姉が歌を習い始めて、当時3歳だった私は、姉がうらやましくてたまりません。私も歌を習いたいと母に何度もせがみ、私もようやく歌のおけいこを始めたのです。

レッスンを始めてまだ日も浅いうちに、発表会がありました。曲目は「おもちゃのマーチ」。大好きな曲でしたから楽しく練習していました。

発表会当日。おしゃれな服にエナメルの靴を履いて弾む気持ちでホールへ向いました。ところがどうでしょう。自分の番が来て、ライトのあたる舞台中央へ立ったときです。

舞台はまぶしく客席は真っ暗で、人影がもぞもぞ動くのはまるで怪物のよう。怖い！　歌どころではありません。すると立ちすくむ私を促すようにピアノが前奏を引き始めました。けれど私はまったく声が出せません。どうしよう！

こうして驚きと恐怖にかられ一言も発しないまま、ピアノの演奏は終わってしまいました。すると先生が出てきて大きな花束を持たせてくださり、私はボーッとしたまま舞台を後にしたのです。泣くどころか、すっかり固まったままでした。

それ以来、人前では歌えなくなりました。話すことも苦手になりました。歌は好きでしたから「いつか人前で歌えるようになりたい、平気で話せるようになりたい」という想いが強く芽生えていったのです。そして長い年月、暗中模索、失敗と研鑽を重ね、人前に出るように自分を叱咤激励し、現在に至ったのでした。

「声ぢから」はトラウマから生まれたメソッド

このトラウマを克服する試行錯誤の日々の中で、一つひとつ自分自身で考え、試し、体験し、確認して、さまざまなメソッドを作り上げてきました。教わったエクササイズも自分なりに咀嚼し直し、最良と思われる方法を考え、積み上げていった結果なのです。

つまり「声ぢから」メソッドは、不器用で恥ずかしがり屋、内向的性格の私が、自分で体得し納得し編み上げた方法論なのです。そのことが多くの方の共感を呼ぶのかもしれないと、いまは思っています。幼いときのトラウマがプラスに転じたのでしょう。「声ぢから」とは、私自身を鼓舞してきた声の力であり、だれもが潜在的に持っている声の力です。

心〜声は心の表現、表情

以前にも述べたとおり、声はメンタルにとてもよく効きます。

人前であがってしまう、声がうわずってしまう、

声が震えてしまう、声が出なくなってしまう、

そんな経験があったり、心配になったりすることはありませんか。

それは自分自身の呪縛にかかっているからです。でも大丈夫です。みなさんはもう「声ぢから」を身につけたのですから、堂々と構えましょう。

そう、声はおおらかアバウトの精神でいきましょう。もしあがっても大丈夫、一つ深呼

吸すれば精神は安定し落ち着きを取り戻します。すでにあなたは、自分の声に自信を持てるようになっていますから。

豊かな声になる「表情を鍛えよう」

表情美人（美男）は豊かな心の持ち主です。

表情筋を鍛える「美人声の基本表情」をつくりましょう。

口角と唇、ほっぺたを鍛えて若々しく

［エクササイズ㉕］口裂け女のニーイッ！

「私って、きれい？」

マスクをした女が、突然マスクをはずしてこういいます。ひところこどもたちの間で流行った、口裂け女の都市伝説。その口裂け女ではありませんが、口が裂けるくらい意識して口角を持ち上げ、口角を美しく保ちましょう。

1　左右それぞれの人差し指を、それぞれの口角に軽く当てます。

2　目じりへ向かって、指で口角を引き上げるようにしながら、同時に、ニーイーッという声を、おなかの底に響くような低い音から、頭のてっぺんに、抜けるような高い音へと移行させながら出します。

★ほっぺたが上がって、目が隠れてしまうぐらいに。おかしな顔になるのが正しいやり方です。
★もし、あなたの顔がふだんとあまり変わりがなかったら、まだまだ。「いま、私は口裂け女」ということを忘れないでやりましょう。
★おかしな顔になるので恋人の前では、やらない方がいいかもしれませんね（笑）

左右のこめかみから、糸で口角をひっぱり上げるような感じで。同時にほっぺたもギュッと上げていきます。

声を出す長さの目安は、3〜5秒ぐらいです。

3　最後に指は鬼の角のように頭の左右に立てます。

「効果」

★口角をアップさせ、若々しい表情を保つ

★頬の筋肉をよく動かし、表情豊かな顔になる

【エクササイズ㉗】口角引き締め

学級文庫で口角引き締め

次に、口角と一緒に唇も引き締めましょう。発音がクリアになりますよ。

みなさんは、「学級文庫」という遊びをご存知ですか？　こどもたちの無邪気な遊びですが、唇と口角を鍛える効果があります。童心に返ってどうぞ。

1　口の中にそれぞれ人差し指を入れて、口角を左右に引っ張ります。

2　そのときに、「学級文庫！」と、引っ張る指に反発するように、力いっぱいいいましょう。ちょっと、はしたないかもしれませんが……。アソビ心を大切に！

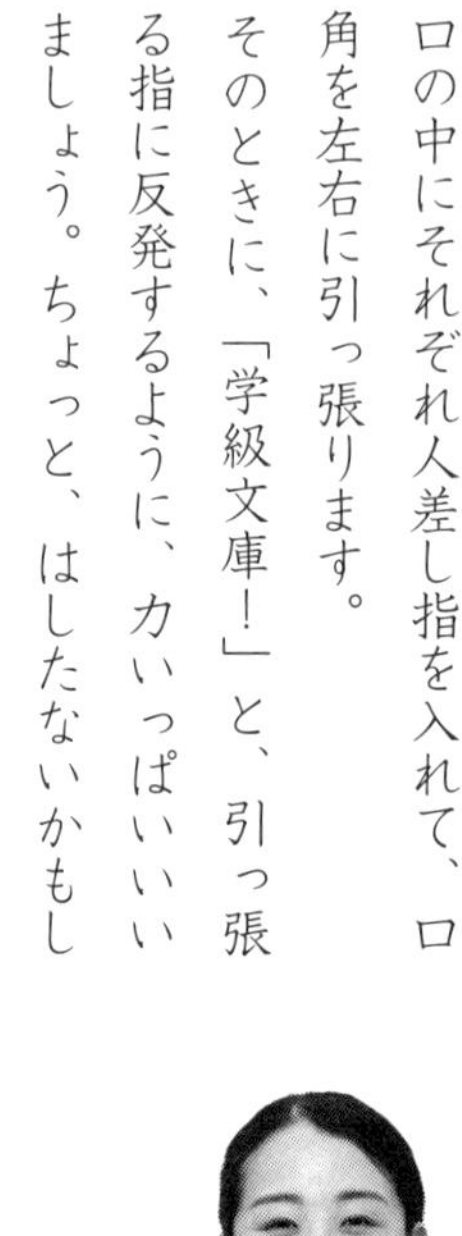

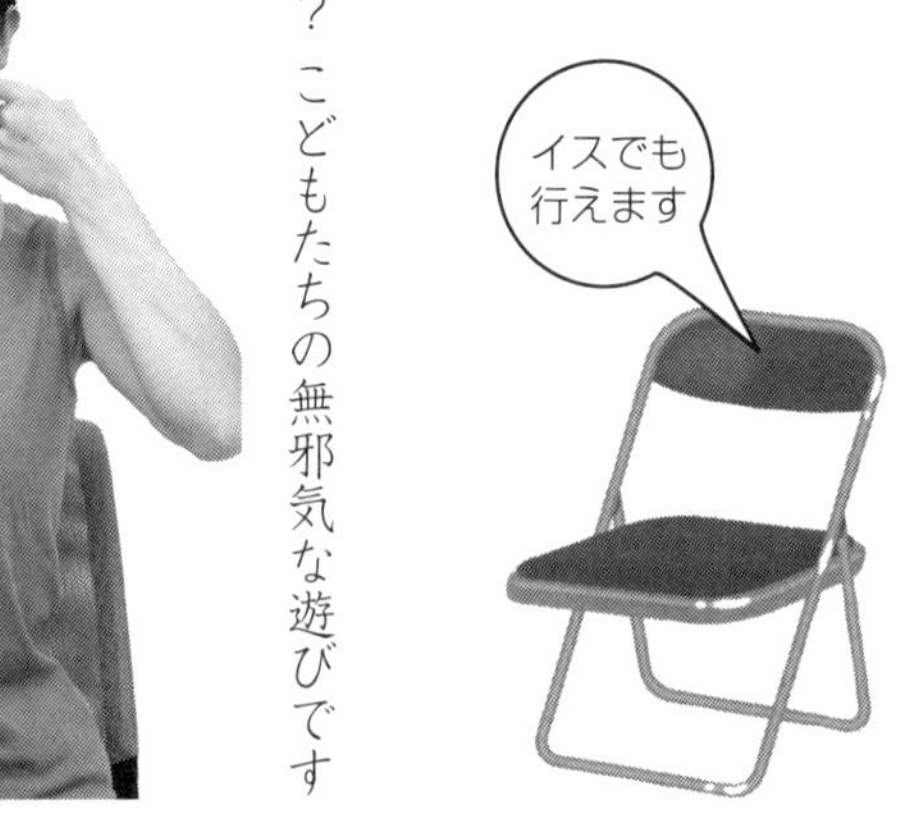

文鎮で口角引き締め

同じようなこどもの遊びですが、大阪ではこんな言葉に変わるそうです。以前、生徒さんに教えていただきました。それは、「文鎮」。先ほどと同じように、口の中に人指し指を入れて、口角を左右に引っ張りながらいいます。

こどもの遊びはおおらかですね。

口角の網引き

これは以前、歯医者さんに教わりました。やはり、口角と唇の引き締めに効果大です。

1　人差し指で、「学級文庫」と同じように、口角を左右に引っ張ります。

2　唇は反対に口をすぼめて、ブウウウー

「効果」

★口角と唇が引き締まり、若々しい表情を保つ

★発音や咀嚼にも効果が期待される

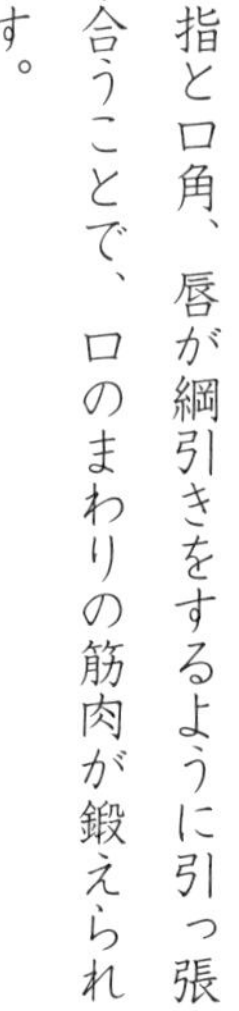

と、強くいいましょう。

指と口角、唇が綱引きをするように引っ張り合うことで、口のまわりの筋肉が鍛えられます。

「目ぢから」とは？

「目は口ほどに物をいう」と昔からいわれるとおりです。目を使って私たちはうれしい、ダメ、困った、わかった？など日常でも無意識にいろいろ表現しています。その目の力を見直して、意識的に磨きましょう。目ぢからがアップしますよ。

「効果」

★口角と唇が引き締まり、若々しい表情を保つ

［エクササイズ㉘］にらみ上げ

歌舞伎の見得を切る真似をして、目のイキイキ体操をどうぞ

左右別々に行います。

1 「ウンッ」と息を吸いながら右目で右斜め上のこめかみあたりをにらみ上げ、2、3秒止まってから口から息を吐き、目の力を抜き元へ戻します。

2 4回行ったら左も同様に行います。

【エクササイズ㉙】「表情・あ、い、う、え、お」

目、顔の表情を考えて表現。手も添えて表現力が発揮できるように動かして。口のまわりには筋肉がたくさんあります。それらを使って脳にも刺激を与えましょう。唾液の分泌、咀嚼にも効果が期待できそうです。

あ 素直にうれしい「あッ」。大きく口、口の中、のども開いて明るい声で。

口を大きく開けるイメージで、両手をパーのかたちにして、口の両わきに持っていき、声を発すると同時にその手を両側に開きます。

あ あっ　うれしい!

い
い〜！
う
うっ！
え
ええ！
お
お〜！

瞳を見開きます。

い

口裂け女の「いー」

口角をしっかり上げると同時に、頬っぺたの筋肉をしっかり使っていいます。両人差指を立ててそれぞれ口角にあて、「イー」といいながら頭の上まで角が生えているように持っていきます。ほっぺたに押されて目は不気味に細くなります。

う

ひょっとこの「うッ」

唇をキュウッととがらせて、「ウッ」と短く詰まったような声で発します。同時に両手を合わせまっすぐ前に伸ばしながらいます。目はまん丸くします。

え

「ええ?!そうなの(うれしい気持ち。知らなかった、よかったなど)」の「えー」

口がハーモニカになったように、両手をコの字型にして両口のわきに持っていき、声を発しながら横に開きます。瞳の表情は「あ」と区別して表現。うれしさに驚きをプラスして。

お

「おー、そうなのか」武士の口調で「おー」

鼻の下をしっかり伸ばして低く太い声で「おお、そうか」というイメージでいいます。声に合わせて両手を頭の上に持っていき円を作ります。目は納得するようなイメージで。

鏡で自分を見る大切さ

もちろんお化粧をしているときの話ではありません。美醜を見るわけでもないです。トレーニングをしているときに自分の姿が鏡に映っている、そんなとき、自分の姿を見るのが恥ずかしくて目をそらす方がいらっしゃいます。でも自分を見ることは大切です。その訓練を行います。自分を見ることが平気になるように、少しずつ見ます。特に目を見ることが大切です。エクササイズを行っている最中、声を出しているときに自分の目を見る。それは自信への第一歩につながります。自分が目をそらしても、他人からは見えているのですから、堂々と自分を見つめましょう。

口と唇の動きを滑らかにする

［エクササイズ㉚］ガムクチャクチャ、口もぐもぐの体操

ガムを品なく噛むイメージで行いましょう。口、あご、口の中、舌、ほっぺた、顔中でガムを噛んでいるつもりで、クチャクチャにゆがめましょう。また、もぐもぐ口の中で何かをかみ砕くように動かしましょう。

朝起きたとき、今日は口の動きがスムーズでないと感じたら、まず行ってください。これだけでもだいぶ口の動きが滑らかになり、声の老化も防げます。口の中は知らぬ間に開きにくくなるので、要注意です。

このほかにも、「東京特許許可局」などの早

★硬い食べ物をよく噛むのは、脳へのよい刺激になるともいわれます。

口言葉の練習や、「パッ！ピッ！プッ！ペッ！ポッ！」など、破裂音を唇をしっかり使うよう意識して勢いよく発音する練習を行いましょう。

［エクササイズ㉛］舌の体操

レロレロレロと早口でいったり、巻き舌をしたり、口の中で舌を左右に動かすなど、舌の動きを活発にさせることも大切です。

「効果」
★顔中の筋肉を使うことで、口の動きが滑らかになる
★のどを開いて声を出しやすくなる。
★表情筋が鍛えられ表情が豊かになる
★声の表現力アップにつながる

［エクササイズ㉜］カバのあくび

首の太いカバの姿を思い浮かべてください。首だけではなく、胴も顔も、すべて太いですね。そのカバが、大きな口を思いっきり開けている写真を見たことはありませんか？

本当に大きな口で、よく開いていますよね。のどの奥までよく見えるでしょう。私たちもカバになったつもりで、大きなあくびをして、のどを開きましょう。

1 大きなあくびをひとつしましょう。

2 もう一度、大きなあくびをしますが、今度はあくびをしかけて、大きな口を開けたまさにそのときに、そのまま止めましょう。のどが開いています。

カバのあくびを思い出して！

大きくのどが開いた、この感覚を覚えておきましょう。

3 息を吐きながら、勢いよく「アーーー」と声を出しましょう。息の混ざった声ではな

く、しっかりとした声を出します。

★のどが開いたときに出る声の感じも覚えておきましょう。
★あごの関節の弱い方は、無理をしないでくださいね。

「効果」
★声が出やすいのどをつくる
★モゴモゴしゃべりにならない
★そしゃく力が増す

ハラスメントに負けない

[エクササイズ㉝] ソォレーッ、ヤァレーッ❶

足を肩幅に開いて姿勢を正し正面を向いてしっかりと立ちます。

深くスーッと息を吸い，吐きながら両腕から上半身を右後ろに思い切りキュッとひねりながら、その勢いに合わせて勢いよく丹田から「ソォレーッ！」。

体を正面に戻して、息を整え、再び息を吸い、今度は左へ同様に思い切りからだをひねり、息を吐きながら「ヤァレーッ！」と発します。すると不思議なほど、思いっきり気持ちよい声が出ます。

ストレス発散にもイチ押しです。ハラスメントもなんのその、の勢いでどうぞ。

「朗読」（古典に学ぶ）

言葉にパワーがみなぎるセリフや朗読のススメ

［エクササイズ㉞］張りのある声をゲットする～たとえば気分は歌舞伎の子役～

張りのある高い声で、大きな会場でいちばん後ろの客席に向かってセリフを精一杯いうイメージで行います。まずは歌舞伎の子役になったつもり。

「ととさまやー」（目いっぱいたっぷりの一息でいう）

[response]
ラジオ番組に出演し，エクササイズをDJが行うことになったとき、「私、大きな声が出せないから」と最初は躊躇しましたが、意を決してやったら思い切り声が出て本人もびっくり。「出た出た！ わあっ声が出た！」と大喜び。

「かかさまやー」（同様に声をたっぷり響かせて）」

続いて朗読パフォーマンスのように

次の３つは斉藤孝さんの『声に出して読みたい日本語』から教えていただきました。動作をつけていうと、声にいっそう弾みがつきます。ただ、声が主体なのを忘れずにどうぞ。

［エクササイズ㉟］
どっどどどどうど（『風の又三郎』宮沢賢治）

どっどど　どどうど　どどうど　どどう
青いくるみも吹きとばせ
すっぱいかりんも吹きとばせ
どっどど　どどうど　どどうど　どどう（以下略）

風のイメージで、からだも勢いよく動かしながら行います。

［エクササイズ㊱］
ややこしや（『まちがいの狂言』野村萬斎）

ややこしや　ややこしや
ややこしや　ややこしや
ややこしや　ややこしや
ややこしや　ややこしや
わたしがそなたで　そなたがわたし
そも　わたしとは　なんじゃいな（以下略）

ぐるぐる回る、指差しや腕組みをするなど動きを入れると、イメージがふくらみ面白いですよ。

〔エクササイズ37〕「知らざあ言って聞かせやしょう」（『白浪五人男』歌舞伎）

　知らざあ言って聞かせやしょう　浜の真砂と五右衛門が　歌に残せし盗人（ぬすっと）の　種は尽きねぇ七里ヶ浜　その白浪の夜働き　以前を言やぁ江ノ島で　年季勤めの児ヶ淵（ちごがふち）　百味講（ひゃくみこう）で散らす蒔銭（まきせん）を　当てに小皿の一文子（いちもんこ）　百が二百と賽銭の　くすね銭せぇだんだんに　悪事はのぼる　上の宮（かみのみや）　岩本院で講中の　枕捜しも度重なり　お手長講と札付きに　とうとう

島を追い出され　それから若衆（わかしゅ）の美人局（つつもたせ）　ここやかしこの寺島で　小耳に聞いた音羽屋の
似ぬ声色（こわいろ）で　小ゆすりかたり　名せぇ由縁（ゆかり）の　弁天小僧菊之助たぁ　俺がことだ

思い切り弁天小僧になりきると勇気が湧いて声に自信がつき効果覿面です。最初恥ずかしくても勇気をもってどうぞトライをしてください。これまでにも多くの方が、このセリフから「声ぢから」を得ています。

［エクササイズ㊳］いろは

いろはにほへと　ちりぬるを
わかよたれそ　つねらむ
うゐのおくやまけふこえて
あさきゆめみし　ゑひもせす

「いろは」は美しい日本語です。まずはそらんじて美しく読みましょう。

滑らかによどみなく、自然な流れと清らかな声色を意識してどうぞ。

次にいろいろな言い方で詠んでみましょう。

武士風に、歌舞伎のおやま風、江戸時代の商人風、こどもなどイメージをふくらませて、役になりきって朗々と言いましょう。自分の新しい面を発見できるかもしれませんよ。

第7章 シニア、ビジネスパーソン、若者など
（年齢・対象別）

対象別のエクササイズ

この章では特にそれぞれのニーズに的を絞ったピンポイントのエクササイズを、これまで示したものと新しいものを交えながらご紹介します。

立って行うのが困難なシニアの方なども、いらっしゃると思います。

ここでは、シニア、若者、ビジネスパーソンなど、特に対象別にピンポイントで、どのエクササイズが向いているかということをお話ししたいと思います。

シニアのエクササイズ「声ぢから」

誤嚥防止、咀嚼や唾液の分泌促進など、健康ケアにつながるエクササイズから、表情を豊かにする心のケア、口角ケアといった美容まで幅広く、また脳トレにもつながります。
これらのエクササイズは無理することなく行えますから、シニア世代には特にお勧めです。

坐ってできるエクササイズ
「エクササイズ」「ファー」＊56ページ
「エクササイズ」「表情・あ、い、う、え、お」＊134ページ
「あいうえお」を使ったエクササイズいろいろ＊153・159ページ

口を大きく開け、口角を鍛えるので、アンチエイジングはもちろん、美容にも効果があります。

〔エクササイズ㊴〕あっという間の出来事（表情編）

「あ」という感嘆詞には同じ「あ」でもさまざまな意味があり、表情が込められます。いろいろなシーンを考え、抑揚をつけて5つの異なる「あ」と、シーンのわかる言葉も添えてはっきりいいましょう。

例　あっ、雨が降ってきた　↓困った。どうしようという気持ち。
あー、疲れた　↓本当に疲れているように息を吐いてダラーンとしながら。
あっ、虹　↓きれい。いいことありそう！
ああっ、バス行っちゃった　↓残念な気持ち。
あ、あった！　↓入学試験に合格。よかった！
頭の回転、脳トレにも役立ちそう！

何を表す「あ」でしょう。決まったこたえはありません。
みなさん、どうぞ想像してください。

［エクササイズ㊵］笑ってあいうえお

顔の筋肉、おなかの筋肉をよく使ってどうぞ。

あっ、はっ、はっ、

いっ、ひっ、ひっ、

うっ、ふっ、ふっ、

えっ、へっ、へっ、

おっ、ほっ、ほっ、

表情筋がよく使えるようになったら、高い声、中ぐらいの声、低い声の三とおりでもいいましょう。

POINT

「言葉のキャッチボールをリズミカルに」

★日常の会話のほとんどは言葉のキャッチボールです。ポンポンタイミングよく会話が弾むと楽しいもの。頭の回転をフレッシュにしておくことが大切ですね。

懐かしいこども時代の遊び

［エクササイズ㊶］にらめっこ

「にらめっこしましょう
笑うと負けよ
あっぷっぷっ」

「声ぢから」にはアソビ心がいっぱいあります。
こども心にかえってどうぞ。

［エクササイズ㊷］ドンッ、ジャンケンポン

「ドンッ」向かい合わせの人と両手を元気よく合わせていいます。

「ジャンケンポン」勢いよくじゃんけんします。

「勝った！」勝った人は万歳しながらいいます。

「負けた〜」下を向いて残念な顔、あるいは、「悔しい」手を斜めに振り悔しいポーズ。

立って行ってもいいです。その場合は、お互いに少し離れて向かい合って立ちます。
※シニアは特に走らないように。

「1、2、3」といいながら互いにゆっくり三歩歩み寄り、止まります。

「ドンッ」は手が触れ合う距離ならば合

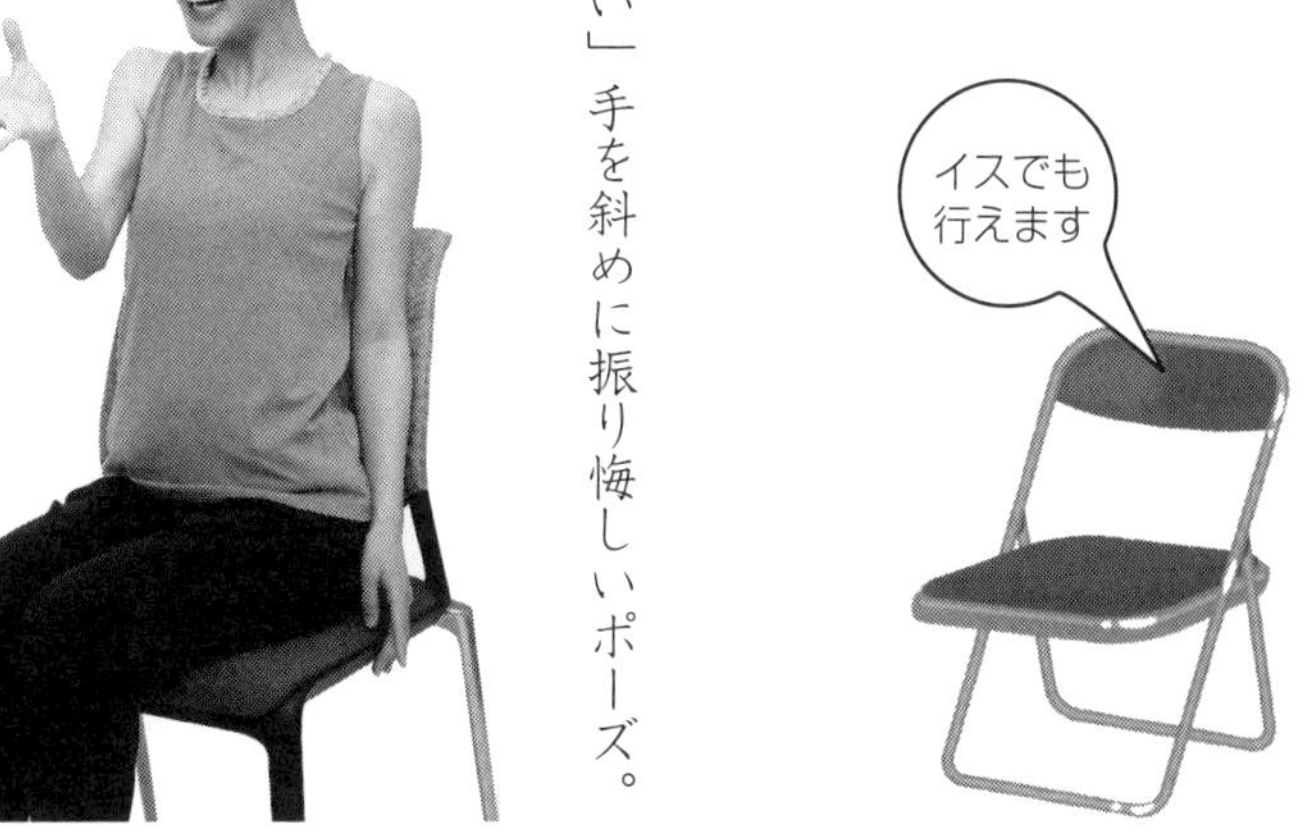

わせます。そうでなければ両手は動作だけ。

「ジャンケンポン」からは坐って行うときと同じ。

昔のことが懐かしく思い出されたら、思い出話をして記憶をたどるのもいいですね。

ビジネスパーソンのエクササイズ

あなたがポジティヴ思考で行動力があるとしたら、職場で、社会で、いろいろなシーンで活躍が期待されます。そんな自分を目指して、声を出してください。

「エクササイズ」毎朝の習慣に①鏡を見ながら「笑ってあいうえお」＊１５３ページ

声を磨くとともに表情を鍛えて心を込めた話し方、信用される表情を研究しましょう。

もちろん心からどうぞ。

「エクササイズ」毎朝の習慣に②鏡を見ながら「気合声いろいろ」＊１０８ページ

「えぃっ！」「ヨォッシャッ！」など丹田から力強く発し、一日の始めの気合を入れてどうぞ。丹田もしっかり鍛えられ、度胸もつきますよ。

〔エクササイズ43〕
仕事の合間に「坐ったままで鎖骨&肩甲骨呼吸」

右肩に右手を乗せて右ひじを曲げ、息を吸いながら上前から下後ろに鎖骨を開きながら肩と鎖骨をゆっくりグルグル大きく2回まわし、3回目のちょうど半分ひじが高く上がり切ったところで3秒停止して、口で「フウウーー」と息を吐きながら手も自然に下へおろします。4回くらい。左も同様に。

オフィスで、テレワークで、ちょっとひと休み。そんなときリフレッシュに特にオススメです。

〔エクササイズ㊹〕ブレイクタイムに「だらり呼吸」

時にはリラックスも大切です。隙間の時間を見つけて、だらりとしてお腹を出している猫のように坐り、だらり呼吸で思い切り脱力し、気分転換をはかりましょう。心身ともにリフレッシュしますよ。

［エクササイズ㊺］50音を唱えよう

「発声による瞑想呼吸」で集中力アップ

声明（しょうみょう）や読経のように太く低い声で、おだやかに落ち着いた気持ちでゆったりと、唱えるように50音を歌います。音の高さはなるべく一定に。「声の河」（１０２ページ）の応用です。

ひと息で一行をたっぷり歌います。はじめは早くても、慣れてきたらだんだんゆっくり長く歌います。そのとき、５音を均等な長さで歌います。ただ、最後の音は後半から徐々に鼻に抜け消えるように終わります。

「あーーいーーうーーえーーおーーーー
かーーきーーくーーけーーこーーーー
さーーしーーすーーせーーそーーーー
たーーちーーつーーてーーとーーーー
なーーにーーぬーーねーーのーーーー

はーーひーーふーーへーーほーーーーー
まーーみーーむーーめーーもーーーーー
やーーいーーゆーーえーーよーーーーー
らーーりーーるーーれーーろーーーーー
わーーいーーうーーえーーをーーーーー
うーーーーーーーーーーんーーーーーー」

このエクササイズは、自分の呼吸と声に集中することで、自然と瞑想に入ることができて、集中力が増します。そして、安定感のある深い呼吸を手に入れることができます。

声の響きが豊かになるため、信頼感のある声、説得力のある声を手に入れることができます。

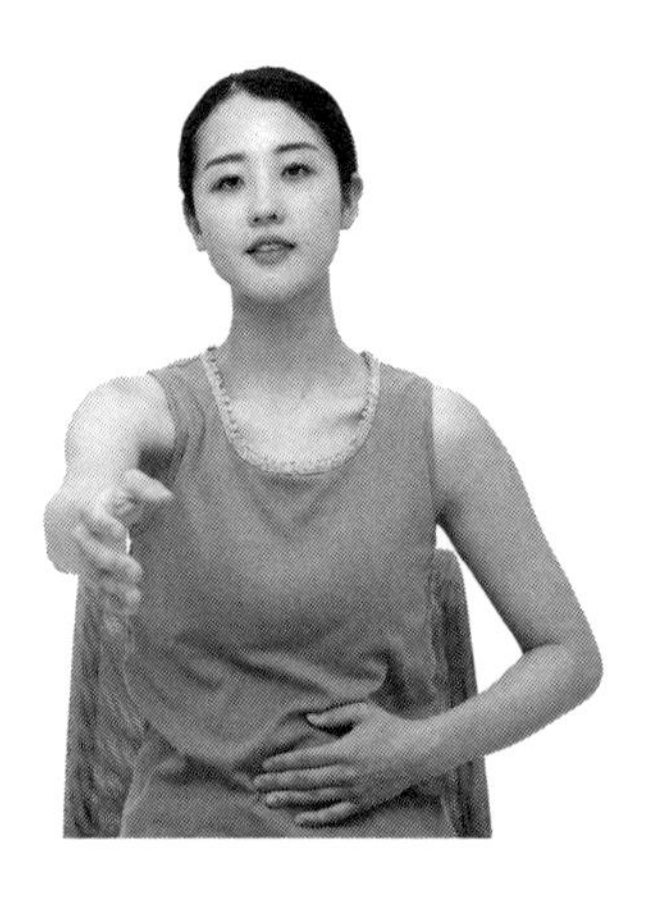

若者のエクササイズ

プレゼン苦手、受験の面接が不安、論文発表が怖い、口ごもったり、しゃべり下手、あがり症で困っているなどに悩む人も心配ご無用です。小さな声で自信なさそうに話しても相手には聞こえません。それならばしっかりと話しましょう。

「エクササイズ」「気合声」＊１０８ページ

「エクササイズ」「梅干しおばあさま」＊98ページ

「エクササイズ」「表情・あ、い、う、え、お」＊１３４ページ

「エクササイズ」「50音を唱えよう」＊１５９ページ

メンタルに悩む人のエクササイズ

自信がない、会話が苦手、人前で話せない、声が小さいといわれた、気持ちをうまく話せないなどなど、メンタルの悩みはいろいろあり、繊細です。特に声が原因で不安になる人向けです。声を出すことで、少しでも前向きになれたらうれしいですね。

[エクササイズ㊻] ソォレーッ、ヤァレーッ❷

いやなことも「ソォレーッ、ヤァレーッ」と捨ててしまいましょう。

ストレス解消+「声ぢから」アップで気持ちもアップ。

自信もつきますよ。

「エクササイズ」「ソォレーッ、ヤァレーッ①」＊141ページ
「エクササイズ」「バレリーナ呼吸法①②」＊58・88ページ

背筋が伸びて姿勢がよくなるので気持ちも前向きに。さらに声が想像以上に出るのでうれしい驚きがあります。からだに響く声の感覚、しっかりした声のパワーを記憶にとどめて、日常的に使えるようにだんだんと鍛えていきましょう。

「エクササイズ」「知らざあ言って聞かせやしょう」 ＊146ページ

丹田からしっかり声を出す訓練に最適のエクササイズです。肩ひじ張らず楽しんで行うようにしてください。

「エクササイズ」「梅干しおばあさま」 ＊98ページ

リタイアした人、家にこもりがちな人に

これらのエクササイズは家にこもりがちな人、他人と会話の少ない人、コロナ以降社会と触れ合う機会のない人にとって、とても大切です。まずは声を磨きコミュニケーションの輪を広げましょう。そうすることで、楽しい人の輪もひろがることでしょう。ぜひ、前向きにチャレンジなさってはいかがでしょう。

一歩外へ、一歩前への気持ちで、どうぞ。

第8章

「声のパフォーマンス」

人前で行う表現を学ぶ

これまで紹介してきたエクササイズは、そのいずれもパフォーマンスとして、仲間と一緒に行ったり、人前で行ったりすることもできます。

それをふまえて、特に、パフォーマンスとして共有できるものをご紹介します。

パフォーマンスなんか関係ない？と思う方も、いらっしゃるかもしれません。けれどパフォーマンスは発想力、創造性を大いに培います。ぜひ楽しんで、行ってみてください。

まずはイチ押しのパフォーマンス「風の舞」からどうぞ。

【風の舞】〜呼吸から声、からだへの総合パフォーマンス

「バレリーナ呼吸法①②」からパフォーマンスに発展　＊58・88ページ参照

1　呼吸のみで左右交互に行い、呼吸が整うまで繰り返します。

2　「アーーー」など母音の発声を加えて、左右交互に行います。自由に繰り返しながら、舞うような動きに徐々に移行します。

3　呼吸はそのままでからだはゆったりと、ゆるやかな円を描くように動きながら、呼吸と声に合わせて、殿上人のように典雅に舞います。

呼吸、声、舞が自然と一体となり心も軽くなり、空を舞うそよ風になったようで実に心地いいですよ。

このエクササイズを行うとき、私は小倉百人一首のこの句を思い浮かべて舞います。

あまつ風
雲の通ひ路
吹き閉じよ
をとめの姿
しばしとどめむ

（僧正遍照）

【声明・読経風に】 ＊159ページ参照

仲間と一緒に。一人でもかまいませんが、できれば三、四人以上が望ましいです。

声の響きのドームに包まれましょう。

正座、座禅を組んで背筋を伸ばし、丹田でしっかりからだを支えて、車座に坐ります。

んーーーあーーーーーー

ハミング「んーーー」から徐々に口と口内を開けながら、「あーー」をだんだん大きな声でまっすぐ遠くへ向かって響かせて、たっぷりの一息で発声します。顔、視線も声の行き先を見つめて行います。お互いの声が合わさると、実際に唱えている音だけではなく倍音（ハーモニックス音）が生まれ、それらが響きあい、声があたかも声のドームを作っているように球状に広がり響きます。できれば低い音は地声が望ましいです。

「声のドーム体験」

ある程度の人数がいたら、まんなかに一人あるいは複数の人が背中合わせに坐り、その人たちを囲むように、ほかの人たちは車座に坐り行うと、中にいる人は声のドームを体験できます。広い空間で、大人数で大合唱のように行いたいです。

「いろはパフォーマンス」＊147ページ参照

複数の言い方で「いろは」をいいます。また謡風、旋律をつけて歌う、ヒップホップ風などいくつかの「いろは」を組み合わせ、自分オリジナルのパフォーマンスに仕立てます。

ちょっとブレイク

簡単マッサージによる耳のリフレッシュ

耳は声の先生。自分の声をチェックするのは自分の耳。耳でよく聴いて自分の声の調子を確かめます。ですから耳はとても大切。けれど耳は目のように疲れたからといって、すぐに閉じたりできません。だから時々意識して休ませてあげましょう。どこでも手軽にできます。

リフレッシュ「手のぬくもり」で耳を温めよう

1　両手で両耳をそっと包むように覆います。しばらくそのままで手のぬくもりを耳に伝えます。

2　ゆっくり息を吸いながら右手親指や耳裏につけたままで、「ええ？」と聞き耳をするときのように開いていきます。

3　息を吐きながら、ゆっくり開いた手を閉じて、再び耳を覆います。左手はそのまま。

4　吐ききったら、確認して4回繰り返します。同様に左も。

いかがですか？　簡単ながら耳がすっきりして軽くなったでしょう。そのうえからだもなんとなくポカポカしてきて温まります。

さらに次の二つのマッサージをプラスすると効果大です。

「マッサージ」耳マッサージで耳の疲れをとる①

右の耳たぶの一番下を親指と人差し指でつまみ、痛くない程度に引っ張りながら、だんだんと耳の上の付け根まで、少しずつ引っ張る場所を上へと移動させながら、少しずつ引っ張っていきます。左も同様に。

各4回ずつくらい。

「マッサージ」耳マッサージで耳の疲れをとる②

マッサージ①と同様に耳たぶを親指と人差し指でつまみ、今度は少しずつ揉みながら上までいきます。左も同様に。

耳のマッサージをすべて行ってもちょっとの時間ですみますから、時々なさることをおススメします。

第9章　ほんとうの声を手に入れて、しあわせになろう

しあわせということばを使うのは少々照れくさいような気がします。不用意に用いると
しあわせが、とても軽くなってしまいますから。

また、

「声でしあわせになるってオーバーではないですか」

そんな声が聞こえる気もします。確かにそう思われるかもしれません。

ところで前回私が出した声の本のタイトルはそのものずばり、「しあわせを呼ぶ声の魔法」（ヤマハミュージックメディア刊）でした。当初著者の私はこの題名を少し恥ずかしく思いました。しかも魔法という言葉までつくのですから。けれどこの本づくりに一から付き合ってくださった若い編集者たちから、ごく自然に出てきたタイトルでした。本を通してしあわせを実感してくださったのだとしたならうれしい、という想いからタイトルは決まりました。

声ひとつでしあわせになる

これは私が「声ぢから」メソッドを指導するなかで実感してきた想いです。受講された

多くの方の顔がにこやかになる、明るくなる、目が輝く。するとプラス思考が芽生え、物事を前向きに考える、ポジティヴに行動する。しあわせ力がつくからでしょう。みなさんもぜひ、エクササイズを通して実感なさってください。手に入れてください。

さらによく響く声はあなただけではなく、あなたの声を聴く周囲の人もしあわせにする可能性があります。

「あの人の声を聴いているとなんだか心地よい」

と感じる人がいたら、そこから新たなコミュニケーションが生まれたら、それこそあなたの「声ぢから」が発揮されたとき。素敵です。まさにコミュニケーションという響き合いですね。

声で人は変われる

これも実践を通じて私が目の当たりにしてきたことです。声で人生は変わります。

だとしたらこんなによいことはありません。それも自分の身ひとつでできるのです。生きていくためのいい効果があるといういろいろなおまけまでつくのですから。これはやるしかないのでは、と思います。

「**声でしあわせになる**」

そのパワーとエネルギー、生命力をあなたの声はもっています。みなさん、ぜひ使ってみてください。それはあなた自身のトータルなセルフケアにつながります。

繰り返して申しますが、そのためにも自分の声を愛してください。その愛が深ければ深いほど、きっとあなたの声は豊かに輝くでしょう。そしてその声は、あなたをしあわせに導くことでしょう。

おわりに

声を磨くことは　自分の心とからだを磨くこと
なぜなら　声の波動は
心とからだを振動させ　活性化させる
声の持つパワーは
生き生きと輝く生命のエネルギー
人　生きもの　宇宙　森羅万象と響きあう力

あとがき

声とはまことに不思議なものだと、つくづく思います。

耳で聴いた他人の声やメロディを記憶して、その記憶をたぐり、声が模倣します。自ら発したその声がお手本どおりに正確かどうか、耳で聴くことでチェックします。こうして耳を介在して、声は自らの存在を確立します。

それは、かなり知的な行為です。

一方で、声とは実に原始的、動物的な行為でもあると思います。言葉にあらわせない思いを声に託して、人はよろこび、泣き、悲しみ、叫び、また怒り、威嚇するなど、人の原始的かつ根源的な部分をあらわすことができます。

声は、人の非常に知的な部分と野性的な部分という、お互いに極限にあるものの両方をあらわす手段なのです。また人は声を、円滑に人と交わるコミュニケーション手段としても使います。

このようにして考えてみると、声とは人間の根源をつかさどる、もっとも重要な役割を担う機能のひとつだということがわかると思います。

私はいま、さらに人間の声の新たな可能性を見出す試みに取り組んでいます。そのひとつが本文に書いた「あいうえお表情トレーニング」の科学的効果についての分析です。静岡県立大学名誉教授の松浦博氏と共同の研究を行い、このトレーニングが科学的にどのような効果があるか、データを分析しました。その結果、トレーニングによって母音「あ」では無声化が強調されたり、音域（声帯振動の変化幅）や声量の変動量が拡大したりすることによって、人に伝わりやすい声に変化していることが確認されました。

松浦氏とは、今後も、科学的立場からさらに研究を続ける予定です。

声は、まだまだ未知の領域のように感じます。そのため「声ぢから」はこれからも成長を続けます。

そして、みなさま一人ひとりの「声ぢから」が磨かれ、いかんなく能力を発揮されますように、心から願っています。

最後に本書の編集にご尽力くださった編集者志賀信夫さんに、心から感謝申し上げます。

また写真モデルの塚原圭恵さん、フォトグラファーの渡邉肇さん、フォトプロデューサーの嶋田淳子さん、みなさまにも心から感謝申し上げます。

みなさまの「声ぢから」パワーがひろがりますように！

【プロフィール】

佐藤慶子（さとう・けいこ）はマルチ音楽家で、その活動は多岐にわたるため、声の活動とその他の活動を分けて記載します。

《声の履歴》

「声ぢから」道場代表、ヴォイス講師、ヴォイス・アーティスト、万葉弾き語り音女（otome）歌い手、ヴォーカリスト。

クラシック声楽、民謡、謡などの邦楽、インド声楽など幅広い声の研鑽を積み、オリジナルな発声法「佐藤慶子の声ぢからメソッド」を確立、長年にわたりヴォイス講師として多くの人に指導を行う。その「声ぢからメソッド」では、特に声におけるメンタル＝心と呼吸の関係や、声の波動の力に着目したレッスンを中心に行う。自己治癒力やプラス思考を促すとして、プロをはじめ老若男女まで幅広く指導し、高い評価を得ている。京都や加賀、三重、横浜、静岡など多くの地域で指導実績があり、その即効性も注目されている。

2009年から万葉弾き語りコンサートを始動。「万葉集」をモチーフに日本の古典と現代をミックスしたオリジナル歌を作曲し、弾き語りコンサートを「音女（otome）」の名前で青山のライブハウスなどでシリーズ開催し、「和モダン」な音楽を発表している。

またヴォイス・アーティストとして、舞踏家三浦一壮や自作映像、演奏家のサシャ・ペレグリーニをはじめ、多くのアーティストとのコラボレーション公演も活発に行っている。

「万葉弾き語り音女（otome）」は関西や名古屋、松本、加賀など各地でもライブを行っている。

朝日カルチャーセンター、目黒学園カルチャースクール、自治体などのヴォイス講師を長年務める。

《マルチ音楽歴》

作曲家、Visual Music映像作家、映画・映像プロデューサー、株式会社MuCuL代表。桐朋学園音楽大学作曲科卒。

独自の音楽観「五感の音楽」を提唱し、作曲、演奏、Visual Music映像や音を視るオブジェ創作など、コンサートから展覧会、舞台公演まで多岐に渡る音楽活動を国内外で展開。同時にヴォイス・アーティスト、ヴォーカリストとして活躍。

合わせて映像創作、絵本やエッセイを執筆。これまでに12冊の本を出版。一方でろう者と新しい音楽を追求、発表する活動を30年以上にわたり、ろうアーティスト米内山明宏とともに行ってきた。さらに聴こえないこどもとともに行う「響きの歌」音楽ワークショップを25年間ボランティア活動として続けてきた。これらの活動は特に高い評価を受け、NHK、民放テレビやラジオ、新聞、雑誌など多くのメディアにたびたび紹介され、称賛される。

映像活動では恵比寿映像祭（東京都、東京都写真美術館等主催）にMuCuLとして地域連携プログラムに毎年参加、自身の作品を中心に上映している。

そのほか五感をテーマとした幅広いレクチャー「五感の学校@広尾」を主宰し随時開催している。

五感や声のワークショップを世田谷美術館、神奈川県立美術館葉山、横浜市男女共同参画推進協会などの依頼を受けて行う。

【受賞】
キリンアートアワード賞’93、日本文化藝術財団賞‘96、日本絵本賞‘03ほか

【主な公演】
・Art at St.Ann「100人のこどものためのWalking Sound」(ニューヨーク、1987)
・ヴィジュアル・ミュージックフェスティヴァル招待参加「A memory of Water」(スペイン・ランサーロテ、1993)
・個展「Dreaming Water一音と映像インスタレーション一」(INAXギャラリー、1997)
・「佐藤慶子音楽個展《五感の音楽》」(東京文化会館小ホール、2003)
・「佐藤慶子水の中のコンサート」(シアターX、2005)
・「第1回モナコ国際ダンス映像フェスティヴァル」(モナコ、2005)
・「ウルティマダンス映像フェスティヴァル」(ノルウェー・オスロ、2005)
・サイン・ミュージカル「ムーン・ガーデン」(シアター1010、2007))ほか多数

【著書】
『しあわせをよぶ声の魔法』(ヤマハミュージックメディア)
『五感の音楽』(ヤマハミュージックメディア)
『響きの歌を聴く』(ヤマハミュージックメディア)
『てではなそう』全五巻(柏書房)
『てではなそう』文庫版(新潮社)
『てではなそう・きらきら』(小学館)日本絵本賞受賞
『地球音楽劇場』(パルコ出版)ほか

【CD】『I love you』(コロンビア)『I love Peace』(全音楽譜出版)「万葉　言の葉」(MuCuL)『ミュージック・ピロー・ベビー』(ミュージックセキュリティーズ)

【音彫刻】『FLOATING SOUND』『ゆふら』

【Visual Music映像】『KEWAI』『水鏡(みかがみ)』『Cosmic Dance』ほか

【映画音楽】『I love you』『脱皮』「隠り沼』　ほか

【サイト】

クロワッサン【動画】
佐藤慶子さんに教わる「声の老化を防ぐエクササイズ」

朝日新聞Reライフ
「声だって老化する　若々しく保つヴォイス・メソッドとは」

「万葉弾き語り音女(otome)佐藤慶子」(Youtube)

株式会社MuCuL公式サイト
(Youtube)

音とアートの佐藤慶子
ちゃんねる(Youtube)

声ぢから道場

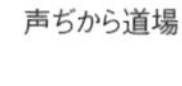

株式会社MuCuL
公式サイト

「声ぢから」道場と「PRO講座」のご案内

「声ぢから」道場・定期グループレッスン

【昼コース】毎月第2・4火曜／ 10:30 ～ 12:00
【夜コース】毎月第2・4水曜／ 19:00 ～ 20:30
「声ぢから＋朗読」毎月第2火曜日／ 13:00 ～ 15:00
「広尾歌倶楽部」毎月第3水曜日／ 10:30 ～ 12:00

＊そのほかのレッスンあり ＊いずれも体験レッスンあり

・個人レッスン：随時受付
・出張ワークショップ、レクチャー：地方出張可、ご相談に応じ、随時受付

「PRO講座」

指導者を養成する講座で、熟達の度合いにより次の3コースがあります。

A）初級指導者養成講座
B）中級指導者養成講座
C）「声ぢから士」取得講座

詳しくは下記メールアドレス、電話番号より、お問い合わせください。

「株式会社MuCuL 声ぢから道場」
メール：e-mucul@e-mucul.com TEL：03-3446-2618
会　場：MuCuLミュウカル
東京都渋谷区恵比寿2-21-3

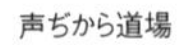

声ぢから道場

株式会社
MuCuL
公式サイト
（Youtube）

株式会社
MuCuL
公式サイト
e-mucul@
e-mucul.com

◆目黒学園カルチャースクール講座

・若々しさを保つための～「声のレッスン」
・「日本昔ばなしを読む」

問合せ：目黒学園カルチャースクール（TEL 03-6417-0031）

若々しさを保つための～
「声のレッスン」

「日本昔ばなしを読む」

声ちから　～呼吸と声のエクササイズ46～

2024年6月25日　初版第1刷発行

著者	佐藤慶子
発行者	森下紀夫
発行所	論創社

〒101-0051　東京都千代田区神田神保町2-23　北井ビル
tel. 03（3264）5254　fax. 03（3264）5232　https://ronso.co.jp
振替口座　00160-1-155266

モデル	塚原圭恵
写真	渡邉　肇
編集	志賀信夫
装釘	野村　浩
組版	桃青社
印刷・製本	中央精版印刷

ISBN978-4-8460-2307-2